Verso y prosa

Letras Hispánicas

Blas de Otero

Verso y prosa

Edición del autor

Con un epílogo de Sabina de la Cruz

VIGESIMOPRIMERA EDICIÓN

CATEDRA

LETRAS HISPANICAS

Ilustración de cubierta: Aurelio Arteta

© Herederos de Blas de Otero
Ediciones Cátedra, S. A., 1999
Juan Ignacio Luca de Tena, 15. 28027 Madrid
Depósito legal: M. 42.285-1999
I.S.B.N.: 84-376-0000-6
Printed in Spain
Impreso en Closas-Orcoyen S.L.
Paracuellos de Jarama (Madrid)

Índice

A
MI HERMANO JOSÉ RAMÓN
BAJO TIERRA A LOS 16 AÑOS

Introducción

Vida

Nacido en Bilbao (1916), cursé el bachillerato en
Madrid, luego recorrí casi toda España y más tarde
residí diversas temporadas en París, Unión Soviética,
República Popular China y Cuba. Actualmente vivo
en Madrid.

Biotz-Begietan

AHORA
voy a contar la historia de mi vida
en un abecedario ceniciento.
El país de los ricos rodeando mi cintura

y todo lo demás. Escribo y callo.
Yo nací de repente, no recuerdo
si era sol o era lluvia o era jueves.
Manos de lana me enredaran, madre.

Madeja arrebatada de tus brazos
blancos, hoy me contemplo como un ciego,
oigo tus pasos en la niebla, vienen
a enhebrarme la vida destrozada.

Aquellos hombres me abrasaron, hablo
del hielo aquel de luto atormentado,
la derrota del niño y su caligrafía
triste, trémula flor desfigurada.

Madre, no me mandes más a coger miedo
y frío ante un pupitre con estampas.

Tú enciendes la verdad como una lágrima,
dame la mano, guárdame
en tu armario de luna y de manteles.

Esto es Madrid, me han dicho unas mujeres
arrodilladas en sus delantales,
este es el sitio
donde enterraron un gran ramo verde
y donde está mi sangre reclinada.

Días de hambre, escándalos de hambre,
misteriosas sandalias
aliándose a las sombras del romero
y el laurel asesino. Escribo y callo.

Aquí junté la letra a la palabra,
la palabra al papel.
                    Y esto es París,
me dijeron los ángeles, la gente
lo repetía, esto es París. Peut être,
allí sufrí las iras del espíritu

y tomé ejemplo de la torre Eiffel.

Esta es la historia de mi vida,
dije, y tampoco era. Escribo y callo.

Mediobiografía

El niño está en la terraza contemplando un gato
azul. El cielo se mueve como una barca. Desde la
calle asciende el tintineo de los tranvías y una voz
que pregona ¡El Nervión..., La Tarde! El niño se
apoya en el barandal de la terraza que hace esquina
a la plaza de Isabel II. El cielo es de color naranja;
abajo suena la bocina de un auto, una voz aguar-
dentosa chilla ¡Informaciones.., maciones! El niño se

16

rasca la nariz junto al estanque del Retiro. Un anciano señala con su bastón la estatua de Alfonso XII. El aire pasa con traje marinero y un molinillo de papel verde, amarillo, blanco. En un puesto de chucherías se agitan *Crónica*, *Gutiérrez*, *Pulgarcito*... El niño va al colegio, baja por Fernández del Campo y llega a Indauchu con dolor de estómago; en la capilla siente ganas de vomitar. Sale al frontón, el cielo está turbio, parece que va a llover café con leche. Las lanchas del puerto llevan pintada una franja blanca sobre verde, o rojo vivo. El túnel de Guetaria está a medio asfaltar, con un gran manchón de cal a cada lado. El niño contempla un asno azul. El cielo gira como un tiovivo. En la esquina de la calle Sevilla es derribado por un taxi, sube hasta la Cibeles cubriéndose la mano izquierda con el pañuelo. Sobre el papel estoy viendo ahora la cicatriz, vuelvo la mano y miro el resto de la marca bajo el dedo anular. El médico de guardia tuvo que cortar la sortija que me habías, jarroncito de porcelana, dejado unos días antes. El niño está ante la pizarra de la clase de Aritmética, todo aquello le suena a mentira, en la sala de estudio acaba de leer unos versos que creo que decían *Mi niña se fue a la mar / a contar olas y chinas*. El cura que vigila a los alumnos se ha acercado al niño y le ha dado una fuerte bofetada. Peor fue lo del Víznar y todavía les duele. El niño cruza la carretera de Benicarló, a la mañana siguiente sube la plaza de Torrevieja, en un rincón tres moros están sorbiendo té. El color de la guerrera del niño es muy parecido al del té de esos moros. Cuando llega el camión, al niño le duele el estómago y por la noche vomita un gato azul. El cielo es de color indefinido, el niño está llorando en la terraza, sabiendo todo lo que le espera.

Manifiesto

Un hombre recorre España, caminando o en tren, sale y entra en las aldeas, villas, ciudades, acodándose en el pretil de un puente, atravesando una espaciosa avenida, escuchando la escueta habla del labriego o el tráfago inacorde de las plazas y calles populosas.

Ha visto zaguanes de fresca sombra y arenas de sol donde giraba una capa bermeja y amarilla, ha mirado las estrellas bajas del páramo o las olas fracasadas del arrecife, fingió desentenderse de los hombres y ha penetrado en todas las clases, ideologías, miseria y pugnas de su tiempo.

Ha porfiado contra la fe, la desidia y la falsedad, afincándose más y más en los años incontrovertibles, el esfuerzo renovado y la verdad sin juego. Ha leído hermosas y lamentables páginas, no ha perdonado ni olvidado porque apenas si recordaba, ha dejado que hablen la envidia sin causa y el odio sin pretexto, ha escrito unas pocas líneas ineludibles y ha arrojado el periódico a los perros.

Un hombre recorre su historia y la de su patria y las halló similares, difíciles de explicar y acaso tan sencilla la suya como el sol, que sale para todos.

Obra

... Bien sabemos lo difícil que es hacerse oír de la mayoría. También aquí son muchos los llamados y pocos los escogidos. Pero comenzad por llamarlos, que seguramente la causa de tal desatención está más en la voz que en el oído.

* * *

Tarea para hoy: demostrar hermandad con la tragedia viva, y luego, lo antes posible, intentar superarla. Naturalmente, esto es lo más difícil. No hay creador capaz de levantar unas ruinas si no dispone de un ideal positivo; si primero él no ha forjado —cual un futuro ya presente— su escala de valores y su escuela de verdades.

* * *

Creo en la poesía social, a condición de que el poeta (el hombre) sienta estos temas con la misma sinceridad y la misma fuerza que los tradicionales.

(1950)

Cartilla (poética)

LA POESÍA tiene sus derechos.
Lo sé.
Soy el primero en sudar tinta
delante del papel.

La poesía crea las palabras.
Lo sé.
Esto es verdad y sigue siéndolo
diciéndola al revés.

La poesía exige ser sinceros.
Lo sé.
Le pido a Dios que me perdone
y a todo dios, excúsenme.

La poesía atañe a lo esencial
del ser.
No lo repitan tantas veces,
repito que lo sé.

Ahora viene el pero.

La poesía tiene sus deberes.
Igual que un colegial.

Entre yo y ella hay un contrato
social.

Ah las palabras más maravillosas,
«rosa», «poema», «mar»,
son *m* pura y otras letras:
o, a...

Si hay un alma sincera, que se guarde
(en el almario) su cantar.
¿Cuántos de vida y esperanza,
serán?

Pero yo no he venido para ver el cielo,
te advierto. Lo esencial
es la existencia; la conciencia
de estar
en esta clase o en la otra.

Es un deber elemental.

El verso

Entre la realidad y la prosa se alza el verso, con
todas las ventajas del jugador de ajedrez y ninguno
de sus extravagantes cuadros. Ni siquiera el soneto,
tan recogido él, tan cruzado de brazos. Pues alguien
lo acantiló, lo precipitó por dentro, abombando sus
límites para que una historia completa cupiera en
una palabra tan triste como ésta. Es el verso sin so-
nido, el verso por sí mismo, sonando siempre que
se le tacta con la boca, caso curioso de subsonido,
pero evidente y prolongado.

Duerme la rosa, el soldado y sus predecesores. La
poesía sólo aspira a esto, a ser presente sin fábula,
puro verso sostenido con una mano en el día siguiente. La rosa puede seguir aquí, dejadla hasta que

termine de moverse, es una realidad, al fin y al cabo, contradictoria: una traición al tiempo, un poco de polvo iluminado.

El verso es distinto, ni realidad encogida ni prosa en exceso descalabrada, de un solo verso nacen multitud de paréntesis, soldados y otras cuestiones.

Respetemos al niño que berrea, a los poetas de antes de la guerra, ignoro a cual me refiero porque todas trajeron multitud de vates nuevos, mesas redondas y una causa que permanece aún en entredicho, la paz, ante todas las cosas.

Para algo ha de servir un renglón, acto seguido de muchas obras públicas, una revolución tal vez aunque todavía desconozcamos la forma de abordarla.

Poesía y palabra

Sabido es que hay dos tipos de escritura, la hablada y la libresca. Si no se debe escribir como se habla, tampoco resulta conveniente escribir como no se habla. El Góngora de las *Soledades* nos lleva a los dictados de Teresa de Cepeda. Sin ir tan lejos, la palabra necesita respiro, y la imprenta se torna de pronto el alguacil que emprisiona las palabras entre rejas de líneas. Porque el poeta es un juglar o no es nada. Un artesano de lindas jaulas para jilgueros disecados.

El disco, la cinta magnetofónica, la guitarra o la radio y la televisón pueden —podrían: y más la propia voz directa— rescatar al verso de la galera del libro y hacer que las palabras suenen libres, vivas, con dispuesta espontaneidad. Mientras haya en el mundo una palabra cualquiera, habrá poesía. Que los temas son cada día más ricos y acuciantes.

Qué será de la poesía

Esperamos la palabra. La puerta de metal, alta, se entreabre sola, descangayada entre la turbia luz del alba. ¿Adónde conduce esta puerta? Es el espejo de una gran fábrica, de plástico azul y vidrio amarillento. No. Hemos penetrado en la ciudad derramada por entre extensas áreas verdes, circunvalada por anchurosa pista de chicle candeal. Tampoco. (Pero esperamos la palabra.) Estamos en el campo sembrado de máquinas, en la lejanía pespuntea la blanca central hidroeléctrica de 6.700.000 no me acuerdo. Los hombres de la ciudad, de la fábrica, el campo. (¿Y el hombre?) Esperamos la palabra.

Cinematógrafos, televisión, revistas ilustradas, periódicos como escombro... *(¿Qué es poesía?)* Y esperamos la palabra. (Porque no ha muerto.) La palabra precisa, universal, y al mismo tiempo imprevisible. ¿Qué ritmo la mueve, qué vocablos la colman, de qué sintaxis se sirve?

Esperamos ante la puerta, apenas entreabierta. Habrá que empujar.

22

Verso

La Tierra

UN mundo como un árbol desgajado.
Una generación desarraigada.
Unos hombres sin más destino que
apuntalar las ruinas.
                    Rompe el mar
en el mar, como un himen inmenso,
mecen los árboles el silencio verde,
las estrellas crepitan, yo las oigo.

Sólo el hombre está solo. Es que se sabe
vivo y mortal. Es que se siente huir
—ese río del tiempo hacia la muerte—.

Es que quiere quedar. Seguir siguiendo,
subir, a contramuerte, hasta lo eterno.
Le da miedo mirar. Cierra los ojos
para dormir el sueño de los vivos.

Pero la muerte, desde dentro, ve.
Pero la muerte, desde dentro, vela.
Pero la muerte, desde dentro, mata.

... El mar —la mar—, como un himen inmenso,
los árboles moviendo el verde aire,
la nieve en llamas de la luz en vilo...

Mademoiselle Isabel

MADEMOISELLE Isabel, rubia y francesa,
con un mirlo debajo de la piel,
no sé si aquél o ésa, oh *mademoiselle*
Isabel, canta en él o si él en ésa.

Princesa de mi infancia: tú princesa
promesa, con dos senos de clavel;
yo, *le livre*, *le crayon*, *le... le...*, oh Isabel,
Isabel..., tu jardín tiembla en la mesa.

De noche, te alisabas los cabellos,
yo me dormía, meditando en ellos
y en tu cuerpo de rosa: mariposa

rosa y blanca, velada con un velo.
Volada para siempre de mi rosa
—*mademoiselle* Isabel— y de mi cielo.

Igual que vosotros

DESESPERADAMENTE busco y busco
un algo, qué sé yo qué, misterioso,
capaz de comprender esta agonía
que me hiela, no sé con qué, los ojos.

Desesperadamente, despertando
sombras que yacen, muertos que conozco,
simas de sueño, busco y busco un algo,
qué sé yo dónde, si supiéseis cómo.

A veces me figuro que ya siento,
qué sé yo qué, que lo alzo ya y lo toco,
que tiene corazón y que está vivo,
no sé en qué sangre o red, como un pez rojo.

Desesperadamente, le retengo,
cierro el puño, apretando al aire sólo...
Desesperadamente, sigo y sigo
buscando, sin saber por qué, en lo hondo.

He levantado piedras frías, faldas
tibias, rosas, azules, de otros tonos,
y allí no había más que sombra y miedo,
no sé de qué, y un hueco silencioso.

Alcé la frente al cielo: lo miré
y me quedé ¡por qué, oh Dios! dudoso:
dudando entre quién sabe, si supiera
qué sé yo qué, de nada ya y de todo.

Desesperadamente, esa es la cosa.
Cada vez más sin causa y más absorto
qué sé yo en qué, sin qué, oh Dios, buscando
lo mismo, igual, oh hombres, que vosotros.

Hombre

LUCHANDO, cuerpo a cuerpo, con la muerte,
al borde del abismo, estoy clamando
a Dios. Y su silencio, retumbando,
ahoga mi voz en el vacío inerte.

Oh Dios. Si he de morir, quiero tenerte
despierto. Y, noche a noche, no sé cuándo
oirás mi voz. Oh Dios. Estoy hablando
solo. Arañando sombras para verte.

Alzo la mano, y tú me la cercenas.
Abro los ojos: me los sajas vivos.
Sed tengo, y sal se vuelven tus arenas.

Esto es ser hombre: horror a manos llenas.
Ser —y no ser— eternos, fugitivos.
¡Ángel con grandes alas de cadenas!

Hombre en desgracia

ME cojiera las manos en la puerta del ansia,
sin remedio me uniesen para siempre a lo solo,
me sacara de dentro mi corazón, yo mismo
lo pusiese, despacio, delante de los ojos.

O si hablase a la noche con el labio enfundado
y detrás de la nuca me tocasen de pronto
unas manos no humanas, hasta hacerme de nieve,
una nieve que el aire aventase, hecha polvo...

Soy un hombre sin brazos, y sin cejas, y acaso
una sábana extiende su palor desde el hombro;
voy y vengo en silencio por la haz de la tierra,
tengo miedo de Dios, de los hombres me escondo.

Doy señales de vida con pedazos de muerte
que mastico en la boca, como un hielo sonoro;
voy y vengo en silencio por las sendas del sueño,
mientras baten las aguas y dan golpes los olmos.

¿Hasta cuándo este cáliz en las manos crispadas
y este denso silencio que se arrolla a los codos;
hasta cuándo esta sima y su silbo de víboras
que rubrican el vértigo de ser hombre hasta el fondo?

¿Hasta cuándo la carne cabalgando en el alma;
hasta heñirla en las sombras, hasta caer del todo?
Oh, debajo del hambre Dios bramea y me llama,
acaso como un muerto —dios de cal— llama a otro.

Canto primero

DEFINITIVAMENTE, cantaré para el hombre.
Algún día —*después*—, alguna noche,
me oirán. Hoy van —vamos— sin rumbo,
sordos de sed, famélicos de oscuro.

Yo os traigo un alba, hermanos. Surto un agua,
eterna no, parada ante la casa.
Salid a ver. Venid, bebed. Dejadme
que os unja de agua y luz, bajo la carne.

De golpe, han muerto veintitrés millones
de cuerpos. Sobre Dios saltan de golpe
—sorda, sola trinchera de la muerte—
con el alma en la mano, entre los dientes

el ansia. Sin saber por qué mataban;
muerte son, sólo muerte. Entre alambradas
de infinito, sin sangre. Son hermanos
nuestros. Vengadlos, sin piedad, vengadlos!

Solo está el hombre. ¿Es esto lo que os hace
gemir? Oh si supiéseis que es bastante.
Si supiéseis bastaros, ensamblaros.
Si supiérais ser hombres, sólo humanos.

¿Os da miedo, verdad? Sé que es más cómodo
esperar que Otro —¿quién?— cualquiera, Otro,
os ayude a ser. Soy. Luego es bastante
ser, si procuro ser quien soy. ¡Quién sabe

si hay más! En cambio, hay menos: sois sentinas
de hipocresía. ¡Oh, sed, salid al día!
No sigáis siendo bestias disfrazadas
de ansia de Dios. Con ser hombres os basta.

Crecida

CON la sangre hasta la cintura, algunas veces
con la sangre hasta el borde de la boca,
voy
avanzando
lentamente, con la sangre hasta el borde de los labios
algunas veces,
voy
avanzando sobre este viejo suelo, sobre
la tierra hundida en sangre,
voy
avanzando lentamente, hundiendo los brazos
en sangre,
algunas
veces tragando sangre,
voy sobre Europa
como en la proa de un barco desmantelado
que hace sangre,
voy
mirando, algunas veces,
al cielo
bajo,
que refleja
la luz de la sangre roja derramada,
avanzo
muy
penosamente, hundiendo los brazos en espesa
sangre,
es
como una esperma roja represada,
mis pies
pisan sangre de hombres vivos
muertos,
cortados de repente, heridos súbitos,
niños
con el pequeño corazón volcado, voy
sumido en sangre

salida,
algunas veces
sube hasta los ojos y no me deja ver,
no
veo más que sangre,
siempre
sangre,
sobre Europa no hay más que
sangre.

Traigo una rosa en sangre entre las manos
ensangrentadas. Porque es que no hay más
que sangre,

y una horrorosa sed
dando gritos en medio de la sangre.

Redoble de conciencia

Cántico

ᴇs a la inmensa mayoría, fronda
de turbias frentes y sufrientes pechos,
a los que luchan contra Dios, deshechos
de un solo golpe en su tiniebla honda.

A ti, y a ti, y a ti, tapia redonda
de un sol con sed, famélicos barbechos,
a todos, oh sí, a todos van, derechos,
estos poemas hechos carne y ronda.

Oídlos cual al mar. Muerden la mano
de quien la pasa por su hirviente lomo.
Restalla al margen su bramar cercano

y se derrumban como un mar de plomo.
¡Ay, ese ángel fieramente humano
corre a salvaros, y no sabe cómo!

A punto de caer

ɴᴀᴅᴀ es tan necesario al hombre como un trozo de
y un margen de esperanza más allá de la muerte, [mar
es todo lo que necesito, y acaso un par de alas
abiertas en el capítulo primero de la carne.

No sé cómo decirlo, con qué cara
cambiarme por un ángel de los de antes de la tierra,
se me han roto los brazos de tanto darles cuerda,

decidme qué haré ahora, decidme qué hora es y si aún
[hay tiempo,
es preciso que suba a cambiarme, que me arrepienta sin
[perder una lágrima,
una sólo, una lágrima huérfana,
por favor, decidme qué hora es la de las lágrimas,
sobre todo la de las lágrimas sin más ni más que llanto
y llanto todavía y para siempre.

Nada es tan necesario al hombre como un par de
[lágrimas
a punto de caer en la desesperación.

Tabla rasa

POSTERIORMENTE, entramos en la Nada.
Y sopla Dios de pronto y nos termina.
Aquí, la Tierra fue. Aquí, la grada
del mar. Aquí, la larga serpentina

de los planetas. Ved. La Nada en pleno.
No preguntéis. Estaban. Se aventaron.
Tema del viento: se evadió de lleno.
Tema del hombre: nada, lo olvidaron.

¿Oyes, Irenka? Trance de abanico.
Destino como pluma apenas blanca.
Miles de estrellas por el suelo. Pico
de senos, sin piedad el Cuervo arranca.

Aquí. Jamás. El Cuervo. Aquí. La Nada.
Dame la mano. Mira al cielo. Suelta
esa lágrima recién desenterrada.
Remos del sueño. Río azul, sin delta.

Por fin, finge la muerte un alba hermosa.
Yo sé. Silencio. Sopla. Se termina.

(Aquí el poeta se volvió a la rosa:
mas no la miréis más, se difumina.)

Posteriormente. Irenka, Irenka. El caso
es grave. Vamos, sopla esta pelusa
de la muerte, este hilo del fracaso;
esa alga, esa nada, esa medusa...

¿Sientes? La sangre sale al sol. Lagarto
rojo. Divina juventud. Tesoro
vivo. ¿Te apartas? Oh Rubén. Me aparto.
Besas y lloras. ¿Ves? Yo beso, lloro.

Es el final, el fin. La apocalipsis.
«Al principio creó Dios cielo y tierra».
Posteriormente... Construiré una elipsis:
omitiré «dolor» y «muerte» y «guerra».

Aquí, la sangre abel corrió a montones.
Aquí, Jesús cayó de cara al suelo.
¿Sangre, decís? ¡Oh, sangre a borbotones,
a todo trance, hasta tocar el cielo!

Pasa. La sangre, pasa. Boca arriba.
Como los muertos. Como todo. Pasa.
(Aquí el poeta, blanco, sin saliva,
se vio perdido. Muerto. Y tabla rasa.)

Que cada uno aporte lo que sepa

ACONTECE querer a una persona,
a un sapito, por favor, no lo piséis,
también a un continente como Europa,
continuamente
hendido, herido a quemarropa,
y simultáneamente, a voz en grito,
otras palabras nos estorban,

tales como «armisticio», «teatro»,
«suspensión de hostilidades», «todo era una broma»,
[y otras.
Pero la gente
lo cree así, y cuelga colgaduras,
y echa por la ventana banderas y una alfombra,
como si fuera verdad,
como (se suele decir) si tal cosa...

Ocurre, lo he visto con mis propios medios.
Durante veinte años la brisa iba viento en popa,
y se volvieron a ver sombreros de primavera
y parecía que iba a volar la rosa.

En 1939 llamaron a misa a los pobres hombres.
Se desinflaron unas cuantas bombas
y por la noche hubo fuegos japoneses en la bahía.
Estábamos —otra vez— en otra.

Después oí hablar en la habitación de al lado.
(Una mujer desgañitada, loca.)
Lo demás, lo aprendisteis directamente.
Sabíamos de sobra.

Plañid así

ESTÁN multiplicando las niñas en alta voz,
yo por ti, tú por mí, los dos
por los que ya no pueden ni con el alma,
cantan las niñas en alta voz
a ver si consiguen que de una vez las oiga Dios.

Yo por ti, tú por mí, todos
por una tierra en paz y una patria mejor.
Las niñas de las escuelas públicas ponen el grito en el
[cielo,
pero parece que el cielo no quiere nada con los pobres,

no lo puedo creer. Debe haber algún error
en el multiplicando o en el multiplicador.

Las que tengan trenzas, que se las suelten,
las que traigan braguitas, que se las bajen rápidamente,
y las que no tengan otra cosa que un pequeño caracol,
que lo saquen al sol,
y todas a la vez entonen en alta voz
yo por ti, tú por mí, los dos
por todos los que sufren en la tierra sin que les haga
                                          [caso Dios.

Mundo

CUANDO San Agustín escribía sus *Soliloquios*.
Cuando el último soldado alemán se desmoronaba de
        asco y de impotencia.
Cuando las guerras púnicas
y las mujeres abofeteadas en el descansillo de una
        escalera,
entonces,

cuando San Agustín escribía la *Ciudad de Dios* con una
        mano
y con la otra tomaba notas a fin de combatir las here-
        jías,
precisamente entonces,
cuando ser prisionero de guerra no significaba la
        muerte, sino la casualidad de encontrarse vivo,
cuando las pérfidas mujeres inviolables se dedicaban a
        reparar las constelaciones deterioradas
y los encendedores automáticos desfallecían de pós-
        tuma ternura,

entonces, ya lo he dicho,
San Agustín andaba recogiendo las pruebas de su
        Enchiridion ad Laurentium

y los soldados alemanes se orinaban encima de los
    niños recién bombardeados.

Triste, triste es el mundo,
como una muchacha huérfana de padre a quien los
    salteadores de abrazos sujetan contra un muro.
Muchas veces hemos pretendido que la soledad de los
    hombres se llenase de lágrimas.
Muchas veces, infinitas veces, hemos dejado de dar la
    mano
y no hemos conseguido otra cosa que unas cuantas
    arenillas pertinazmente intercaladas entre los
    dientes.

Oh si San Agustín se hubiese enterado de que la diplo-
    macia europea
andaba comprometida con artistas de *variétés* de muy
    dudosa reputación
y que el ejército norteamericano acostumbraba recibir
    paquetes donde la más ligera falta de ortografía
era aclamada como venturoso presagio de la liber-
    tad de los pueblos oprimidos por el endolumi-
    nismo.

Voy a llorar de tanta pierna rota
y de tanto cansancio que se advierte en los poetas me-
    nores de dieciocho años.

Nunca se ha conocido un desastre igual.
Hasta las Hermanas de la Caridad hablan de crisis
y se escriben gruesos volúmenes sobre la decadencia
    del jabón de afeitar entre los esquimales.

Decid adónde vamos a parar con tanta angustia
y tanto dolor de padres desconocidos entre sí.

Cuando San Agustín se entere de que los teléfonos
    automáticos han dejado de funcionar

y de que las tarifas contra incendios se han ocultado
tímidamente en las cabelleras de las muchachi-
tas rubias,
ah entonces, cuando San Agustín lo sepa todo
un gran rayo descenderá sobre la tierra y en un abrir
y cerrar de ojos nos volveremos todos idiotas.

Hijos de la tierra

PARECE como si el mundo caminase de espaldas
hacia la noche enorme de los acantilados.
Que un hombre, a hombros del miedo, trepase por las
[faldas
hirsutas de la muerte, con los ojos cerrados.

Europa, amontonada sobre España, en escombros;
sin norte, Norteamérica, cayéndose hacia arriba;
recién nacida, Rusia, sangrándole los hombros;
Oriente, dando tumbos; y el resto, a la deriva.

Parece como si el mundo me mirase a los ojos,
que quisiera decirme no sé qué, de rodillas;
alza al cielo las manos, me da a oler sus manojos
de muertos, entre gritos y un trepidar de astillas.

El mar, puesto de pie,
le pega en la garganta con un látigo verde;
le descantilla; de
repente, echando espuma por la boca, le muerde.

Parece como si el mundo se acabase, se hundiera.
Parece como si Dios, con los ojos abiertos,
a los hijos del hombre los ojos les comiera.
(No le bastan —parece— los ojos de los muertos.)

Europa, a hombros de España, hambrienta y sola;
los Estados de América, saliéndose de madre;
la bandera de Rusia, oh sedal de ola en ola;
Asia, la inmensa flecha que el futuro taladre.

¡Alzad al cielo el vientre, oh hijos de la tierra;
salid por esas calles dando gritos de espanto!
Los veintitrés millones de muertos en la guerra
se agolpan ante un cielo cerrado a cal y canto.

Aren en paz

PENSÉ poner mi corazón, con una cinta
morada, encima de la montaña más alta del mundo,
para que, al levantar la frente al cielo, los hombres
viesen su dolor hecho carne, humanado.

Pensé mutilarme ambas manos, desmantelarme
yo mismo mis dos manos, y asentarlas
sobre la losa de una casa en ruinas:
así orarían por los desolados.

Después, como un cadáver puesto en pie
de guerra, clamaría por los campos
la paz del hombre, el hambre de Dios vivo,
la represada sed de libertad.

Noches y días suben a mis labios
—ellos, en són de sol; ellas, de blanco—,
detrás acude la esperanza con
una cinta amarilla entre las manos.

Miradme bien, y ved que estoy dispuesto
para la muerte. Queden estos hombres.
Asome el sol. Desnazca sobre el mundo
la noche. Echadme tierra. Arad en paz.

Digo vivir

PORQUE vivir se ha puesto al rojo vivo.
(Siempre la sangre, oh Dios, fue colorada.)
Digo vivir, vivir como si nada
hubiese de quedar de lo que escribo.

Porque escribir es viento fugitivo,
y publicar, columna arrinconada.
Digo vivir, vivir a pulso; airada-
mente morir, citar desde el estribo.

Vuelvo a la vida con mi muerte al hombro,
abominando cuanto he escrito: escombro
del hombre aquel que fui cuando callaba.

Ahora vuelvo a mi ser, torno a mi obra
más inmortal: aquella fiesta brava
del vivir y el morir. Lo demás sobra.

Ancia

Relato

RECUERDO. No recuerdo. El viento. El mar.
Un hombre al borde del cantil. El viento.
El mar desamarrando olas horribles.
Un hombre al borde de un cantil. Recuerdo.
No recuerdo. Los brazos
alzados hacia un cielo ceniciento.
El viento. El golpe de las olas
contra las rocas.
Un hombre al borde
de la muerte.
El mar.
El cielo, mudo. Ceniciento. El cielo.
Recuerdo. Oigo las olas.
El viento. Entre las sienes. No recuerdo.
Un hombre
al borde de un cantil, gritando. Abriendo
y cerrando los brazos.
Un hombre ciego.
Recuerdo. Alzó la frente. Un viento frío
le azotó el alma. No recuerdo. Veo
el mar.
Nado por dentro.
Avanzo
hacia una luz, hacia una luz. No veo.
Escucho
un silencio de yelo.
Y braceo, braceo hacia la luz,
y tropiezo,
y braceo, y emerjo bajo el sol

¡oh júbilo!, y avanzo… Y no recuerdo
más. Esto es todo cuanto sé. Sabedlo.

Encuesta

QUIERO encontrar, ando buscando la causa del sufri-
    miento.
La causa a secas del sufrimiento a veces
mojado en sangre, en lágrimas, y en seco
muchas más. La causa de las causas de las cosas
horribles que nos pasan a los hombres.
No a Juan de Yepes, a Blas de Otero, a Leon
Bloy, a César Vallejo, no, no busco eso,
qué va, ando buscando únicamente
la causa del sufrimiento
(del sufrimiento a secas),
la causa a secas del sufrimiento a veces...
Y siempre vuelta a empezar.

Me pregunto quién goza con que suframos los hom-
    bres.
Quién se afeita a favor del viento de la angustia.
Qué sucede en la sección de Inmortalidad
cuando según todas las pruebas nos morimos para
    siempre.

Sabemos poco en materia de sufrimiento.
Estamos muy orgullosos con nuestro orgullo,
pero si yo les arguyo con el sufrimiento no saben qué
    decirme.
Mire usted en la guía telefónica,
o en la Biblia, es fácil que allí encuentre algo.
Y agarro la biblia telefónica,
y agarro
con las dos manos la *Guía de pecadores*... y se caen al
    suelo todos los platos.
Desde los siete años

oyendo lo mismo a todas horas, cielo santo,
santo, santo, como de Dios al fin obra maestra!

Pero, del sufrimiento, como el primer día:
mudos y flagelados a doble columna. Es horrible.

Tarde es, amor

VOLVÍ la frente: estabas. Estuviste
esperándome siempre.
Detrás de una palabra
maravillosa, *siempre*.

Abres y cierras, suave, el cielo.
Como esperándote, amanece.
Cedes la luz, mueves la brisa
de los atardeceres.

Volví la vida; vi que estabas
tejiendo, destejiendo siempre.
Silenciosa, tejiendo
(tarde es, Amor, ya tarde y peligroso)
y destejiendo nieve...

Ya es tarde

DOS meses no son mucho
tiempo, tocan a cuatro y sobran dos
meses, no son mucho,
me parece, pero menos da una piedra,
un perpendicular pie sobre el suelo
da menos que una mano mutilada,
dos meses no son mucho ni dan nada,
pero menos da dios y está en el cielo.

Propongo que te sientes. Todavía
te va a pesar haber nacido,

haber mamado, haber venido
a tiempo, que ya es tarde todo el día.
Dos meses no son mucho
tiempo, tocan a fuego y yo me ducho
delante de Inesita y de María.
Menos da dios y está en el cielo uniformado,
de forma que dos meses no son mucho.

(Las noches son para dormir
y el día para descansar,
que no somos de hierro!)

Dos meses no son mucho
tiempo, tienes de sobra para hablarme
de la muerte, del juicio,
de la muela que acabo de sacarme,
del vicio de la virtud, de la virtud del vicio,
del juicio de la muela
y la muela del juicio.

Habla. Te escucho.
Dos meses no son mucho, por lo menos
sesenta días siendo días buenos,
y si son de otra clase,
sesenta noches pase lo que pase.

Que no somos de hierro.

Pido la paz y la palabra

A la inmensa mayoría

AQUÍ tenéis, en canto y alma, al hombre
aquel que amó, vivió, murió por dentro
y un buen día bajó a la calle: entonces
comprendió: y rompió todos sus versos.

Así es, así fue. Salió una noche
echando espuma por los ojos, ebrio
de amor, huyendo sin saber adónde:
a donde el aire no apestase a muerto.

Tiendas de paz, brizados pabellones,
eran sus brazos, como llama al viento;
olas de sangre contra el pecho, enormes
olas de odio, ved, por todo el cuerpo.

¡Aquí! ¡Llegad! ¡Ay! Ángeles atroces
en vuelo horizontal cruzan el cielo;
horribles peces de metal recorren
las espaldas del mar, de puerto a puerto.

Yo doy todos mis versos por un hombre
en paz. Aquí tenéis, en carne y hueso,
mi última voluntad. Bilbao, a once
de abril, cincuenta y uno.

BLAS DE OTERO

En el principio

SI he perdido la vida, el tiempo, todo
lo que tiré, como un anillo, al agua,
si he perdido la voz en la maleza,
me queda la palabra.

Si he sufrido la sed, el hambre, todo
lo que era mío y resultó ser nada,
si he segado las sombras en silencio,
me queda la palabra.

Si abrí los labios para ver el rostro
puro y terrible de mi patria,
si abrí los labios hasta desgarrármelos,
me queda la palabra.

Hija de Yago

AQUÍ, proa de Europa preñadamente en punta;
aquí, talón sangrante del bárbaro Occidente;
áspid en piedra viva, que el mar dispersa y junta;
pánica Iberia, silo del sol, haza crujiente.

Tremor de muerte, eterno tremor encarnecido,
ávidamente orzaba la proa hacia otra vida,
en tanto que el talón, en tierra entrometido,
pisaba, horrible, el rostro de América adormida.

¡Santiago, y cierra, España! Derrostran con las uñas
y con los dientes rezan a un Dios de infierno en ristre,
encielan a sus muertos, entierran las pezuñas
en la más ardua historia que la Historia registre.

Alángeles y arcángeles se juntan contra el hombre.
Y el hambre hace su presa, los túmulos su agosto.
Tres años: y cien caños de sangre abel, sin nombre...
(Insoportablemente terrible en su arregosto.)

Madre y maestra mía, triste, espaciosa España.
He aquí a tu hijo. Úngenos, madre. Haz
habitable tu ámbito. Respirable tu extraña
paz. Para el hombre. Paz. Para el aire. Madre, paz.

Espejo de España

Ávila.
Toledo.
Lágrimas
de piedra, ardiendo
en la cara
del cielo.
Alba
de Tormes. Cierro
los ojos. Pasa
un agua en silencio.
Lenta, ancha
como el tiempo.
El Toboso. Criptana.
Veo
una mancha,
lejos.
Lanza
y rocín, en sueños,
avanzan.
Oh espejo
de España.
Yermo
yelmo. *Bajada
del Pozo Amargo.*
                              Cierro.
los labios
de la patria.

Con nosotros

(Glorieta de Bilbao)

EN este Café
se sentaba don Antonio
Machado.
            Silencioso
y misterioso, se incorporó
al pueblo,
blandió la pluma,
sacudió
la ceniza
y se fue...

Posición

AMO a Walt Whitman por su barba enorme
y por su hermoso verso dilatado.
Estoy de acuerdo con su voz, conforme
con su gran corazón desparramado.

Escucho a Nietzsche. Por las noches leo
un trozo vivo de Sils-Maria. Suena
a mar en sombra. Mas ¡qué buen mareo,
qué sombra tan espléndida, tan llena!

Huyo del hombre que vendió su hombría
y sueña con un dios que arrime el hombro
a la muerte. Sin Dios, él no podría
aupar un cielo sobre tanto escombro.

Pobres mortales. Tristes inmortales.
España, patria despeinada en llanto.
Ríos con llanto. Lágrimas caudales.
Éste es el sitio donde sufro. Y canto.

León de noche

(en voz alta)

VUELVE la cara Ludwig van Beethoven,
dime qué ven, qué viento entra en tus ojos,
Ludwig; qué sombras van o vienen, van
Beethoven; qué viento vano, incógnito,
barre la nada... Dime
qué escuchas, qué chascado mar
roe la ruina de tu oído sordo;
vuelve, vuelve la cara, Ludwig, gira
la máscara de polvo,
dime qué luces
ungen tu sueño de cenizas húmedas;
vuelve la cara, capitán del fondo
de la muerte: tú, Ludwig van Beethoven,
león de noche, capitel sonoro!

Juicio final

YO, pecador, artista del pecado,
comido por el ansia hasta los tuétanos,
yo, tropel de esperanza y de fracasos,
estatua del dolor, firma del viento.

Yo, pecador, en fin, desesperado
de sombras y de sueños: me confieso
que soy un hombre en situación de hablaros
de la vida. Pequé. No me arrepiento.

Nací para narrar con estos labios
que barrerá la muerte un día de estos,
espléndidas caídas en picado
del bello avión aquel de carne y hueso.

Alas arriba disparó los brazos,
alardeando de tan alto invento;

plumas de níquel: escribid despacio.
Helas aquí, hincadas en el suelo.

Éste es mi sitio. Mi terreno. Campo
de aterrizaje de mis ansias. Cielo
al revés. Es mi sitio y no lo cambio
por ninguno. Caí. No me arrepiento.

Ímpetus nuevos nacerán, más altos.
Llegaré por mis pies —¿para qué os quiero?—
a la patria del hombre: al cielo raso
de sombras ésas y de sueños ésos.

> ... porque la mayor locura que puede
> hacer un hombre en esta vida es de-
> jarse morir sin más ni más...
>
> SANCHO
>
> (*Quijote*, II, cap. 74.)

1

ME llamarán, nos llamarán a todos.
Tú, y tú, y yo, nos turnaremos,
en tornos de cristal, ante la muerte.
Y te expondrán, nos expondremos todos
a ser trizados ¡zas! por una bala.

Bien lo sabéis. Vendrán
por ti, por ti, por mí, por todos.
Y también
por ti.
(Aquí
no se salva ni dios. Lo asesinaron.)

Escrito está. Tu nombre está ya listo,
temblando en un papel. Aquél que dice:
abel, abel, abel... o *yo, tú, él*

52

Pero tú, Sancho Pueblo
pronuncias anchas sílabas,
permanentes palabras que no lleva el viento...

ÁRBOLES ABOLIDOS,
volveréis a brillar
al sol. Olmos sonoros, altos
álamos, lentas encinas,
olivo
en paz,
árboles de una patria árida y triste,
entrad
a pie desnudo en el arroyo claro,
fuente serena de la libertad.

Lo traigo andando

PUEBLOS, ríos de España, acudid
al papel, andad
en voz baja bajo la pluma; álamos,
no os mováis de la orilla
de mi mano....

                                    Monte
Aragón, cúpula pura, danos
la paz.

Morella, uña mellada.

Peñafiel. Fuensaldaña.

Esla. Guadalquivir. Viva Sevilla.

> *Lo traiga andado,*
> *cara como la suya*
> *no la he encontrado.*

(París.)

En la inmensa mayoría

PODRÁ faltarme el aire,
el agua,
el pan,
sé que me faltarán.

El aire, que no es de nadie.
El agua, que es del sediento.
El pan... Sé que me faltarán.

La fe, jamás.

Cuanto menos aire, más.
Cuanto más sediento, más.
Ni más ni menos. Más.

En castellano

Poética

ESCRIBO
hablando.

Tañer

ESCUCHO,
estoy oyendo

el reloj de la cárcel
de León.

La campana de la Audiencia
de Soria.

Filo de la madrugada.

        ...oyendo
tañer
España.

Puente de la segoviana

NO quiero,
no quiero mirar España.

Debajo de ti,
Puente de la Segoviana,
encima de ti me pongo
por ver como corre el agua...

Letra

...y dándole una lanzada en el aspa,
la volvió el viento con tanta furia...

Quijote, I, 8.

POR más que el aspa le voltee
y españa le derrote
y cornee,
poderoso caballero
es Don Quijote.

Por más que el aire se lo cuente
al viento, y no lo crea
y la aviente,
muy airosa criatura
es Dulcinea.

Oros son triunfos

OJO!
Estados Unidos sale
de espadas.
Para defender el oro.

Ruando

CIUDADES
que vi, viví, rondando calle y plazas,
cimiento y ramo alegre
—Madrid Bilbao París o Barcelona—
del edificio de mi fe
vivida,
gente
cruzada, fondo de las tiendas,
portales, todo
lo que arrastré con lluvia o sol o viento,
ruando
como
        un perro de la calle,
amigo de la calle,
camarada
            de la calle.

No espantéis el ruiseñor

AHORA diré la verdad.
No me refiero a mí, misericordia,
alma del crimen imprevisto, hablad.

Ahora diré la verdad
dentro de la verdad, torre del oro,
hombre que viene en el otoño, oíd.

Dime, mendigo, la verdad
de balde, el limpio borde donde el labio
vierte claridad.

Hombre que viene en el otoño,
andad
con pies de plomo, que el silencio es oro.

Hablad,
álamos, olmos, hermoseando el día,
de nuevo verdead.

Ahora
diré la verdad.

Días hundidos,
erguid,
giraldead el aire
frío.

Hondo
tiempo perdido : pases
de nuevo, guadalquivir redondo

Ahora.
Pases y sigas, hombre que viene
desde la sombra.

Oh voz cercada.
Con una piedra al cuello,
te echaste al agua.

Claridad
de alba : pisad
quedo en el ventana.

No. Montón
de sombra.
Sin voz.

Debo volver.
Ahora
que empieza a llover, a
llover...

Así estaba la mañana,
cuando te empecé a querer.

Entro
en el tiempo, paso
como el Duero.

Busco,
quiero entroncar, remuevo
en lo oscuro.

Cueva de qué.
Cóncava cueva, incógnita.
Francisca Sánchez, acompáñame.

Hombre que viene
en el otoño, tanteando, arando
nieve.

Alma del crimen imprevisto, no.
Días cerrados.
Noches tumbadas en el portalón.

Luz.
Voz de cintura para abajo. Mar
azul.

Torre
del oro, retroceded: que el miedo
os come.

Dime, palmera,
el limpio borde donde el labio
vea.

Sierra de Aïtana.
Perfil puro
de España.

Ayer.
Hombre que vuelve, pero
no ve.

Rosa de Reus.
Desnuda
boca del pueblo.

Ahora
diré la verdad.

Ahora que empieza a
nevar, a...

Así
estaba la mañana,
cuando te empecé a olvidar.

Abre
la puerta al alba,
madre.

Mira,
madre, que viene
herida.

Alma del crimen
imprevisto.
Oh, píen

los álamos
sí, más,
más,
y sea todo siempre claridad.

Palabras reunidas para
Antonio Machado

un corazón solitario
no es un corazón.

A. M.

SI me atreviera.
a hablarte, a responderte,
pero no soy,
solo,
nadie.

Entonces,
cierro las manos, llamo a tus raíces,
estoy
oyendo el lento ayer:
el romancero
y el cancionero popular; el recio
són de Jorge Manrique;
la palabra cabal
de fray Luis; el chasquido
de Quevedo;
de pronto,
toco la tierra que borró tus brazos,
el mar
donde amarró la nave que pronto ha de volver.

Ahora,
removidos los surcos (el primero
es llamado Gonzalo de Berceo),
pronuncio
unas pocas palabras verdaderas.
Aquéllas
con que pedí la paz y la palabra:

Árboles abolidos,
volveréis a brillar

al sol. Olmos sonoros, altos
álamos, lentas encinas,
olivo
en paz,
árboles de una patria árida y triste,
entrad
a pie desnudo en el arroyo claro,
fuente serena de la libertad.

Silencio.

Sevilla está llorando, Soria
se puso seria. Baeza
alza al cielo las hoces (los olivos
recuerdan una brisa granadamente triste.)
El mar
se derrama hacia Francia, te reclama,
quiere,
queremos
tenerte, convivirte,
                              compartirte
como el pan.

Litografía de la cometa

OTRA vez
debo decir he visto estoy cansado
de ver
herrumbre añil enjalbegada roña
Hoy
doce de agosto en la ciudad que nombro
alzo la frente frente al mar no puedo
más
y voceo
el silencio del hilo deslizado
hacia el percal de la cometa tonta

Otra vez
tienes tierra palabra
herramienta valor para enterrar un niño

Hoy
discuto con el mar estos jornales
nunca
subió tan bajo la común comida
dan
ganas de romper
y rasgar
el silencio del hilo deslizado
desde el percal de la cometa tonta

Otra vez
tienes tierra postura
andrajos de color para enterrar a un niño.

Cantar de amigo

QUIERO escribir de día.

De cara al hombre de la calle,
y qué
terrible si no se parase.

Quiero escribir de día.

De cara al hombre que no sabe
leer,
y ver que no escribo en balde.

Quiero escribir de día.

De los álamos tengo envidia,
de ver cómo los menea el aire.

Monzón del mar

AHORA que estamos lejos, tú de mí,
yo, revolviendo la tierra por encontrarme,
he preguntado al viento de Pekín
que llega grávido de mares,
en qué cadera tuya o cantil
se apoya mi memoria, esperándome;
no estoy desarraigado aunque ande así,
más bien como una rama en el aire
agarrada con las dos manos a su raíz,
precisamente esta tarde
oigo el golfo de Vizcaya aquí
en el fondo del viento de estos mares
de China, jadeantes de nocturno marfil.

El árbol de enfrente

ESTE árbol, ¿qué ha visto?
Antes que nada, dime, ¿cómo te llamas?
Pues hay árboles chinos
que yo he visto en España.
(Ella hablaba con voz de soprano. Lo mismo
que aquella moza de Tudanca.)
Jamás te vi junto a un río
en Zamora, Málaga, Ávila,
o cualquier otro sitio
de mi patria.
Tienes las hojas chiquitas, y el tronco, arisco.
Anda, habla,

¿qué has visto
en esta calle de Pekín, angosta y larga,
subido en tu patio, trepando a lo niño?
Oh verde color de caja
de lápices, oh ramas como signos.
(La muchacha, sin duda, canta
muy bien. Su voz anda por el pasillo.)
Anochece. Pekín, jardín de plata
y restos de su esplendorosa pobreza de siglos,
se recoje y descansa.
Trina un grillo.
Árbol amigo, ¿no me dices nada?

Poeta colonial

DIME si puedes
venir España a remover la tierra
que me rodea estoy triste
porque no ha llovido y a veces porque llueve
vamos España ponte tu traje de los miércoles
el colorado y danza junto al Nalón
vienes y vas a Cuba por el mar
y yo he venido y yo he venido por el aire hasta La
[Habana
y te entiendo cuando hablas
y cuando callas no te entiendo
qué hiciste España por aquí tú sola
total para volver como yo vuelvo
la cabeza
y te miro a lo lejos y de repente
me siento viejo
salgo corriendo a hablar con los becados con una mi-
y no estoy solo oigo las mismas palabras   [liciana
que en Jaén Extremadura Orense
y siento ganas de llorar o de hacer la revolución
cuanto antes
incomprensible España pupitre sin maestra
hermosa calamidad
ponte tu traje colorado danza ataca canta.

Cuando venga Fidel se dice mucho

NO me avergüenzo de haber sido niño
y de seguir siéndolo cuando me dejan sitio,
a qué mundo tan mal hecho me han traído
y debo saludar a los constructores del abismo,
a los conservadores del precipicio,
cómo está usted tan elegante, no ha visto
lo que viene detrás, un espantoso cataclismo
para los forros de su bolsillo, pero estos niños,
me·riñe, pero estos niños que no le dejan a uno tran-
mire usted, señor, yo no he sido   [quilo,
el que se llevó la tierra que antes estaba aquí, aquí
                                                         [mismo,
bajo los pies pero en las manos de los campesinos,
yo entiendo poco de colonias, pero les digo
que ustedes apestan a colonialismo,
más o menos camuflado, porque eso es lo político
llevarse la piedra y dejar el hueco en su sitio,
ustedes sigan fumando y bebiendo, pero el tabaco es
                                                         [mío
que me lo cambió Fidel por unos versos muy bonitos:
el yanqui vive en América,
pero se le ha visto en todas partes
haciéndonos la puñeta.
Tenga, un vaso de whisky para usted, y para mí coca-
¡hola, hola!, no está mal,   [cola,
pero será mejor que le ponga un poco de sal
para que se vaya usted acostumbrando
ya sé yo a qué y casi casi el cuándo.

Hasta luego

YENDO por un camino,
cansado de andar,
entrara en un bohío,
me puse a conversar.
El padre alto y cetrino,
mulata la mamá,
la moza, pecho erguido,
una palmera real.
Díjeles mi apellido
y mi nombre además;
quedéme muy tranquilo,
nunca oyeron nombrar.
Charlamos como amigos,
y esto es lo principal.
—¡*Hasta luego!*, dijimos.
Seguí mi caminar.

Caonao (Cienfuegos)

... los domingos los guajiros se ves-
tían de blanco. Las mujeres se ponían
flores en la cabeza y se soltaban el
pelo.

ESTEBAN MONTEJO, *El Cimarrón*

ME voy de Cuba. Me llaman
otras tierras y otros vientos.
Se quedan mis pensamientos
dudando entre lo que mira
el alma y lo que le espera.
Guantanamera guajira.

Guajira guantanamera.
Me voy de Cuba. Hasta luego,
que pienso volver a verte

si no me ciega la muerte
o si antes no quedo ciego.
Triste de aquel que le tira
su patria de tal manera.
Guantanamera guajira.

Guajira guantanamera.
Guantanamera trigueña,
llevo en el pecho la enseña
de tu isla caimanera
y su cintura pequeña.
Adiós, luna santiaguera
que toda América admira;
Habana de mis amores
donde parece mentira
el humo de sus vapores.
Ponte en el pelo estas flores;
me voy, mi patria me espera.
Guantanamera guajira.

Guajira guantanamera.

Que trata de España

EL mar
alrededor de España,
verde
Cantábrico,
azul Mediterráneo,
mar aitana de Cádiz,
olas lindando
con la desdicha,
mi verso
se queja al duro són
del remo y de la cadena,
mar niña
de la Concha,
amarga mar de Málaga,
borrad
los años fratricidas,
unid
en una sola ola
las soledades de los españoles.

Por venir

MADRE y madrastra mía,
españa miserable
y hermosa. Si repaso
con los ojos tu ayer, salta la sangre
fratricida, el desdén
idiota ante la ciencia,
el progreso.
        Silencio,

laderas de la sierra
Aitana,
rumor del Duero rodeándome,
márgenes lentas del Carrión,
bella y doliente patria,
mis años
por ti fueron quemándose, mi incierta
adolescencia, mi grave juventud,
la madurez andante de mis horas,
toda
mi vida o muerte en ti fue derramada
a fin de que tus días
por venir
rasguen la sombra que abatió tu rostro.

Orozco

Heuskara, ialgi adi canpora! Heuskara, habil mundu guzira!

Etxepare'k

EL valle
se tendía al pie del Gorbea,
daba la vuelta alrededor
de Santa Marina,
ascendía
hacia Barambio, doblaba
hasta la línea del ferrocarril
en Llodio,
valle delineado por la lluvia
incesante, liviana,
dando molde, en el lodo,
a las lentas ruedas de las carretas
tiradas por rojos bueyes,
tras la blusa negra o rayada
del aldeano con boina,
pequeña patria mía,
cielo de nata

sobre los verdes helechos,
la hirsuta zarzamora,
el grave roble, los castaños
de fruncida sombra,
las rápidas laderas de pinares.

He aquí el puente
junto a la plaza del Ayuntamiento;
piedras del río
que mis pies treceañeros
traspusieron, frontón
en que tendí, diariamente, los músculos
de muchacho,
aires de mis campos
y són del tamboril,
                    atardeceres
en las tradicionales romerías
de Ibarra, Murueta,
Luyando, mediodía
en el huerto
de la abuela,
luz de agosto irisando los cerezos,
pintando los manzanos, puliendo
el fresco peral,
patria mía pequeña,
escribo junto al Kremlin,
retengo las lágrimas y, por todo
lo que he sufrido y vivido,
soy feliz.

Españahogándose

CUANDO pienso
en el mar   es decir
la vida que uno ha envuelto desenvuelto
como
        olas
                sonoras
y sucedió que abril abrió sus árboles
y yo callejeaba   iba venía
bajo la torre de San Miguel
o más lejos
                bajaba
las descarnadas calles de Toledo
pero es el mar
quien me lleva y deslleva en sus manos
el mar desmemoriado
dónde estoy son las márgenes
del Esla los esbeltos álamos
amarillos que menea el aire
no sé oigo las olas
de Orio Guetaria
Elanchove   las anchas
olas rabiosas
es decir la vida que uno hace
y deshace
                cielos
hundidos días como diamante
una
guitarra en el Perchel de noche
la playa rayada de fusiles
frente a Torrijos y sus compañeros.

Palabra viva y de repente

ME gustan las palabras de la gente.
Parece que se tocan, que se palpan.
Los libros, no; las páginas se mueven
como fantasmas.

Pero mi gente dice cosas formidables,
que hacen temblar a la gramática.
¡Cuánto del cortar la frase,
cuánta de la voz bordada!

Da vergüenza encender una cerilla,
quiero decir un verso en una página,
ante estos hombres de anchas sílabas,
que almuerzan con pedazos de palabras.

Recuerdo que, una tarde,
en la estación de Almadén, una anciana
sentenció, despacio: «Sí, sí; pero el cielo y el infierno
está aquí.» Y lo clavó

con esa *n* que faltaba.

HABLAMOS DE LAS COSAS DE ESTE MUNDO.
Escribo
con viento y tierra y agua y fuego.
(Escribo
hablando, escucheando, caminando.)

Es tan sencillo
ir por el campo, venir por la orilla
del Arlanza, cruzar la plaza
como quien no hace nada
más que mirar al cielo,
lo más hermoso

son los hombres que parlan a la puerta
de la taberna, sus solemnes manos
que subrayan sus sílabas de tierra.

Ya sabes
lo que hay que hacer en este mundo: andar,
como un arado, andar entre la tierra.

Nadando y escribiendo en diagonal

ESCRIBIR en España es hablar por no callar
lo que ocurre en la calle, es decir a medias palabras
catedrales enteras de sencillas verdades
olvidadas o calladas y sufridas a fondo,
escribir es sonreír con un puñal hincado en el cuello,
palabras que se abren como verjas enmohecidas
de cementerio, álbumes
de familia española: el niño,
la madre, y el porvenir que te espera
si no cambias las canicas de colores,
las estampinas y los sellos falsos,
y aprendes a escribir torcido
y a caminar derecho hasta el umbral iluminado,
dulces álbumes que algún día te amargarán la vida
si no los guardas en el fondo del mar
donde están las llaves de las desiertas playas amarillas,
yo recuerdo la niñez como un cadáver de niño junto a la
        orilla,
ahora ya es tarde y temo que las palabras no sirvan
para salvar el pasado por más que braceen incansa-
        blemente
hacia otra orilla donde la brisa no derribe los toldos
        de colores.

¿Yo entre álamos y ríos?

ESTATE tranquilo. No importa que sientas frío
en el alma. Debes estar tranquilo,
y dormir. Y por la mañana, te levantas temprano y
        te vas a ver el río,
debes mirarlo sin prisa, dejarlo pasar, sin preocuparte
        lo más mínimo
de que el tiempo pase, como si fueras un niño
horriblemente maltratado por la vida; pero no im-
        porta, siempre hay un sitio
tranquilo, con algún álamo que tiembla si silba un
        pajarillo
y tú le ves entre las leves hojas, dichoso, felicísimo,
ahora mismo le estás viendo silbar, saltar, volar por el
apenas sientes el rumor del río
        aire limpio,
y... por qué lloras, si es verdad lo que te he dicho,
anda, ve a dormir, y mañana iremos a ver de verdad
        el río
y a dudar de que soñaste con él, mi pobre amigo...

Noticias de todo el mundo

A los cuarenta y siete años de mi edad,
da miedo decirlo, soy sólo un poeta español
(dan miedo los años, lo de poeta, y España)
de mediados del siglo xx. Esto es todo.
¿Dinero? Cariño es lo que yo quiero,
dice la copla. ¿Aplausos? Sí, pero no me entero.
¿Salud? Lo suficiente. ¿Fama?
Mala. Pero mucha lana.
Da miedo pensarlo, pero apenas me leen
los analfabetos, ni los obreros, ni
los niños.

Pero ya me leerán. Ahora estoy aprendiendo
a escribir, cambié de clase,
necesitaría una máquina de hacer versos,
perdón, unos versos para la máquina
y un buen jornal para el maquinista,
y, sobre todo, paz,
necesito paz para seguir luchando
contra el miedo,
para brindar en medio de la plaza
y abrir el porvenir de par en par,
para plantar un árbol
en medio del miedo,
para decir «buenos días» sin engañar a nadie,
«buenos días, cartero» y que me entregue una carta
en blanco, de la que vuele una paloma.

Escrito con lluvia

AHORA es cuando puedes empezar a morirte,
distráete un poco después de haber terminado tu
        séptimo libro,
ahora puedes abandonar los brazos a lo largo del
        tiempo
y aspirar profundamente entornando los párpados,
piensa en nada
y olvida el daño que te hiciste,
la espalda de Matilde
y su sexo convexo,
ahora mira la lluvia esparcida por el mes de noviembre,
las luces de la ciudad
y el dinero que cae en migajas los sábados a las seis,
espera
el despertar temible de iberoamérica
y comienza a peinarte, a salir a la calle, a seguir
laborando por todos
los que callan, y avanzan, y protestan y empuñan
la luz como un martillo o la paz como una hoz.

CUANDO voy por la calle
o bien en algún pueblo con palomas,
lomas y puente romano,
o estando yo en la ventana
oigo una voz por el aire,
letra simple, tonada popular

> *...una catedral bonita*
> *y un hospicio con jardín,*

son los labios que alabo
en la mentira de la literatura,
la palabra que habla,
canta y se calla

> *...donde van las niñas*
> *para no volver,*
> *a cortar el ramo verde*
> *y a divertirse con él;*

y si quieres vivir tranquilo,
no te contagies de libros.

Martinete del poeta

AY, aquel que le pareciera
que es fácil mi batallar,
siquiera por un momento
que se ponga en mi lugar.

QUE no quiero yo ser famoso,
a ver si tenéis cuidado
en la manera de hablar,
yo no quiero ser famoso
que quiero ser popular.

79

Folía popular

EN una aldea de Asturias
oí una voz por el aire:

Aquel paxarillo
que vuela, madre,
ayer lo vi preso

(Se ha parado el aire.)

y hoy trepa el aire;
por penas que tenga,
no muera nadie;

(Me quedé mirando
las nieblas del valle...)

yo le vi entre rejas
de estrecha cárcel
aquel paxarillo,

(Se ha movido el aire.)

y hoy trepa el aire.

DORMIR, PARA OLVIDAR
España.

Morir, para perder
España.

Vivir, para labrar
España.

Luchar, para ganar
España.

Canción cinco

POR los puentes de Zamora,
sola y lenta, iba mi alma.

No por el puente de hierro,
el de piedra es el que amaba.

A ratos miraba al cielo,
a ratos miraba al agua.

Por los puentes de Zamora,
lenta y sola, iba mi alma.

Diego Velázquez

ENSÉÑAME a escribir la verdad,
pintor de la verdad.

Ponme la luz de España entre renglones,
la impalpable luz que tiembla
en tus telas.

Dirígeme los ojos hacia abajo:
gente humillada y despreciada
de reyes, conde-duques e inocencios.

Que mi palabra golpee
con el martillo de la realidad.

Y, línea a línea, hile
el ritmo de los días venturosos
de mi patria.

Calle Miguel de Unamuno

EN Bilbao hay una calle
que la dicen de Unamuno,
aunque somos muy beatos
y también un poco brutos,
hemos querido poner
los herejes en su punto,
que no digan malas lenguas
que si cultos, que si incultos,
que aquí de cultos tenemos
casi tanto como fútbol,
desde la misa mayor
hasta el rosario minúsculo,
y habemus nuestros ministros,
y en la ONU hablaba uno,
en fin, como ven ustedes
que no se queje Unamuno,
que ha habido unanimidad,
más o menos, para el busto
que su tormentosa villa
va a erigir, por hacer bulto
y borrar lo de las letras
que borró en el Instituto.
De todas formas, ya saben
que, aunque no me guste mucho
su poesía — a pesar
de lo que crean algunos —
ni tampoco sus ideas
— son ideas de lechuzo —,
me adhiero con toda el alma
(ya salió por fin el humo,
pero la mía es mortal,
de eso ya ni me preocupo:
he traspasado el negocio,
para que los que se mueren
puedan vivir a su gusto,
decentemente, en su patria,

en Europa, y en un mundo
de acero si puede ser,
con las tierras y los frutos
de todos y para todos,
bien servidos de uno en uno);
pues decía que me adhiero,
igual que un cartel al muro,
a la estatua y a la calle,
calle Miguel de Unamuno.

.

Crónica de una juventud

(En un homenaje a Vicente Aleixandre)

PASÓ sin darme cuenta. Como un viento
en la noche. (Y yo seguí dormido.)
Oh grave juventud. (Tan grave ha sido,
que murió antes de su nacimiento.)

¿Quién dirá que te vio, y en qué momento
en campo de batalla convertido
el ibero solar? Ay! en el nido
de antaño oí silbar
las balas. (Y ordené el fusilamiento

de mis años sumisos.) Desperté
tarde. Me lavé (el alma); en fin, bajé
a la calle. (Llevaba un ataúd

al hombro. Lo arrojé.) Me junté al hombre,
y abrí de par en par la vida, en nombre
de la imperecedera juventud.

El temor y el valor de vivir y de morir

NO sé por qué avenida
movida por el viento de noviembre
rodeando
plazas como sogas de ahorcado
junto a un muro con trozos de carteles
      húmedos
era en la noche de tu muerte
Paul Eluard
y hasta los diarios más reaccionarios
ponían cara de circunstancias
como cuando de repente baja la Bolsa
y yo iba solo no sé por qué avenida
envuelta en la niebla de noviembre
y rayé con una tiza el muro de mi hastío
como una pizarra de escolar
y volví a recomenzar mi vida
por el poder de una palabra
escrita en silencio.

Libertad.

Túmulo de gasoil

HOJAS sueltas, decidme, qué se hicieron
los Infantes de Aragón, Manuel Granero, la pavana
  para una infanta,
si está Madrid iluminado como una diapositiva
y sólo en este barrio saltan, ríen, berrean setenta o
  setenta y cinco niños
y sus mamás ostentan senos de Honolulú, y pasan
  muchachas con sus ropas chapadas,
faldas en microsurco, y manillas brillantes y sandalias
  de purpurina,
hojas sueltas, caídas
como cristo contra el empedrado, decidme,
quién empezó eso de cesar, pasar, morir,
quién inventó tal juego, ese espantoso solitario
sin trampa, que le deja a uno acartonado,
si la plaza de Oriente es una rosa de Alejandría,
ah Madrid de Mesonero, de Lope, de Galdós y de
  Quevedo,
inefable Madrid infestado por el gasoil, los yanquis y
  la sociedad de consumo,
ciudad donde Jorge Manrique acabaría por jodernos a
  todos,
a no ser porque la vida está cosida con grapas de
  plástico
y sus hojas perduran inarrancablemente bajo el rocío
  de los prados
y las graves estrofas que nos quiebran los huesos y los
  esparcen

bajo este cielo de Madrid ahumado por cuántos años
de inmovilismo,
tan parecidos a don Rodrigo en su túmulo de terciopelo
y rimas cuadriculadas.

Bilbao

Yo, cuando era joven,
te ataqué violentamente,
te demacré el rostro,
porque en verdad no eras digna de mi palabra,
sino para insultarte,
ciudad donde nací, turbio regazo
de mi niñez, húmeda de lluvia
y ahumada de curas,
esta noche
no puedo dormir, y pienso en tus tejados,
me asalta el tiempo huido entre tus calles,
y te llamo desoladamente desde Madrid,
porque sólo tú sostienes mi mirada,
das sentido a mis pasos
sobre la tierra:
recuerdo que en París aún me ahogaba tu cielo
de ceniza,
luego alcancé Moscú como un gagarin de la guerra fría,
y el resplandor de tus fábricas
iluminó súbitamente las murallas del Kremlin,
y cuando bajé a Shanghai sus muelles se llenaban de
barcos del Nervión,
y volé a La Habana y recorrí la Isla
ladeando un poco la frente,
porque tenía necesidad de recordarte y no perderme
en medio de la Revolución,
ciudad de monte y piedra, con la mejilla manchada
por la más burda hipocresía,
ciudad donde, muy lejos, muy lejano,
se escucha el día de la venganza alzándose con una
rosa blanca junto al cuerpo de Martí.

Imberbe mago

Reflexionemos sobre Rimbaud.
En el reparto Santo Suárez, Rimbaud me asaltó por
la espalda.
Yo me encontraba enderezando una gran hoja de
malanga, cantando entre dientes una malagueña.
Caía un sol redondo sobre la ciudad
y la calle era el cinturón de aluminio de la vecina,
la mulata de los girasoles.
Pasa el florero con su pregón de colores *¡flores,
flooreees!*, y poco después el fantasma blanco con su
lata punteada de rescoldos *¡maní, maní calentiítos!*,
esto ocurrió el 17 de octubre y a los pocos momentos
abrí un libro acaso amarillo
y, de pronto, la imaginación se punteó de rescoldos
verdes, negros, violetas,
el mago imberbe me embebecía en sus fuegos de
artificio, con sus guerrillas antimoralistas
y sus bárbaras blasfemias que denotaban, no obstante,
la profunda quemadura padecida en su labio inferior,
y luego brillaban barcos tal esqueletos diamantinos
cabrilleando en la rada
de Constantinopla, La Habana colonial o tal vez en
una lejana curva de la imaginación,
el cielo se volvió torvamente carmelita y allá por
Rancho Boyeros zigzagueó un rayo desgarrador del
h o r i z o n t e,
apareciendo París con un gracioso sombrero de
primavera de grandes alas pajizas
y ojos de ceniza y labios apostillados y el hueso de la
nariz ostensiblemente transitado por minúsculos
gusanos.

Cantar de amigo

¿DÓNDE está Blas de Otero? Está dentro del sueño, con los ojos abiertos.

¿Dónde está Blas de Otero? Está en medio del viento, con los ojos abiertos.

¿Dónde está Blas de Otero? Esta cerca del miedo, con los ojos abiertos.

¿Dónde está Blas de Otero? Está rodeado de fuego, con los ojos abiertos.

¿Dónde está Blas de Otero? Está en el fondo del mar, con los ojos abiertos.

¿Dónde está Blas de Otero? Está con los estudiantes y obreros, con los ojos abiertos.

¿Dónde está Blas de Otero? Está en la bahía de Cienfuegos, con los ojos abiertos.

¿Dónde está Blas de Otero? Está en el quirófano, con los ojos abiertos.

¿Dónde está Blas de Otero? Está en Vietnam del Sur, invisible entre los guerrileros.

¿Dónde está Blas de Otero? Está echado en su lecho, con los ojos abiertos.

¿Dónde está Blas de Otero? Está muerto, con los ojos abiertos.

Tiempo

HOY es domingo y por eso
decía César Vallejo por eso
escucho a Bob Dylan me hundo en el fondo del
    subconsciente buceo
a ojos cerrados y todo aparece diáfano como la
    armónica de Bob tantos años abatidos
furia del ángel fieramente humano contra las altas olas
yo dije España está perdida dentro de su nombre
llamé a la paz con los labios desgarrados
pero hoy es domingo y por eso
me serené como una verónica de *Gitanillo de Triana*
seccioné mi angustia la guillotiné en despiadados versos
pero hoy es domingo y por eso
a lo lejos ya vuelve la galerna
la espero a pecho descubierto
pecho como la guitarra de Bob Dylan
porque hoy es domingo y por eso

Ni Vietnam

UNA mañana de humo y pájaros desperdigados
estando en el sanatorio
estando yo en el jardín
jadeando entre dientes como en medio del amor
una mañana de barca balanceada
estando con los cinco sentidos resbalados
doliéndome como un caballo
apareciste entre las ramas
apareciste como el arcángel San Gabriel en vestido
    de verano
una mañana muy ladeada
tu sonrisa cadena rota
tus piernas de plástico doloroso

estando en el sanatorio
todo lo veía como si hubiera tomado ácido
como alrededor de la fuente de Londres
con su castillo de baraja
con Zulema en su pequeña habitación extrañamente
    decorada
y estando en el sanatorio
apareciste con sandalias rojas y una pluma en la
    mano izquierda
estando con los ojos divagados
y sonreí con esfuerzo
y el mundo no tenía ni vietnam ni planchas ateridas
maravillosa mañana
para añorarla estando en el sanatorio

Lo fatal

ENTRE enfermedades y catástrofes
entre torres turbias y sangre entre los labios
así te veo así te encuentro
mi pequeña paloma desguarnecida
entre embarcaciones con los párpados entornados
entre nieve y relámpago
con tus brazos de muñeca y tus muslos de maleza
entre diputaciones y framacias
irradiando besos de la frente
con tu pequeña voz envuelta en un pañuelo
con tu vientre de hostia transparente
entre esquinas y anuncios depresivos
entre obispos
con tus rodillas de amapola pálida
así te encuentro y te reconozco
entre todas las catástrofes y escuelas
asiéndome el borde del alma con tus dedos de humo
acompañando mis desastres incorruptibles
paloma desguarnecida
juventud cabalgando entre las ramas

entre embarcaciones y muelles desolados
última juventud del mundo
telegrama planchado por la aurora
por los siglos de los siglos
así te veo así te encuentro
y pierdo cada noche caída entre alambradas
irradiando aviones en el radar de tu corazón
campana azul del cielo
desolación del atardecer
así cedes el paso a las muchedumbres
única como una estrella entre cristales
entre enfermedades y catástrofes
así te encuentro en mitad de la muerte
vestida de violeta y pájaro entrevisto
con tu distraído pie
descendiendo las gradas de mis versos

Prosa

Realizarse no es un juego de palabras

Si tú supieras que lo importante es realizarse, no soñar, ni vivir, sino realizarse por encima de todo, esto que resulta tan fácil para ti, tan terriblemente fácil: he aquí, por ejemplo, una expresión en que he realizado exactamente lo que quería decir: el prodigio de la palabra reproduciendo literalmente la realidad. Crear vida expresándose con absoluta fatalidad y libertad. Cuando empleamos dos términos —*terrible-fácil; necesidad-libertad*— extraemos como con unas pinzas la entraña misma del concepto que no es más que la realidad en lucha consigo misma, al menos hasta aquí llegó la ciencia, y el poeta no tiene por qué quedarse atrás.

Si tú supieras todo lo que sabes sin darte cuenta, cómo ahora, por ejemplo, empiezas a sentir frío y sigues sentado tranquilamente, cómo te vas devorando noche tras noche porque sabes sin que nadie te lo dijera que ésta es tu misión, expresar digna y escuetamente cuanto has experimentado a través del tiempo presente, pasado y futuro, pues sólo un poeta que sin proponérselo está de acuerdo consigo mismo y con el mundo futuro, presente y pasado, puede solucionar la aparente contradicción y realizar con su palabra la plenitud de lo más instantáneo que fluye: la vida.

Pueden pasar las horas, los aviones, los ríos, pueden en una guerra derribar los derechos humanos, hospitales, aviones y demás reglas de juego, pueden lanzar inmensas campañas de propaganda, cortinas de humo, miles de paracaídas con armamento, medicinas, chocolate, pero todo está previsto en el próximo poema que ayer escribimos, de manera que las puertas del cielo no prevalecieron ante la ligera presión de Gagarin, de igual modo que la revolución francesa con todos sus fracasos hizo posible la amistad y la tolerancia, aunque todavía ni tú ni yo pudimos realizarlas cumplidamente de obra ni de palabra.

El monte y la historia

Si me preguntáis lo que deseo, os contestaré: vivir en un monte. No escribir. Sobre todo esto: no tener necesidad de escribir. Quiero decir, de expresarme, de hablar. Es tan triste la tinta y tan impasible el papel. Yo quiero conversar, pero no sé como se hace; me confundo, me interfieren; en fin, me resulta muy difícil. En el monte es distinto, hay sitio para todas las palabras, por espaciadas que las pronunciemos, se puede fumar, incluso mirar el humo sin que desaparezcan los obreros, las encíclicas, huelga decir las chimeneas, el perro y el patrón. Todo esto constituye el monte, el peine de Bach, así este disco en que todas las luchas de los hombres cobran de pronto un inusitado sentido, aparecen plenas de causalidad, sabiamente desarrolladas y extinguiéndose en un largo acorde final.

Lucha que comienza y termina en el nuevo hombre —lo demás, se presupone—, los hombres se renuevan, al menos algunos de ellos desean cambiar, hacer otra la vida, no tentar el diablo, pero canjear la juventud. Mas si no se aperciben, si se obstinan en su ignorancia o en su perversidad, debo decir que el hombre es malo con el mismo derecho con que proclamo que el hombre es bueno: porque aquí en el monte, aquí en medio de esta aldea destrozada por la metralla, se ve con toda claridad que el hombre no es ni bueno ni malo (es más bien malibueno o buenimalo); puede resultar lo uno y lo otro, dentro de sí y respecto a los demás. Esto hay que decirlo sin muchos humos, huelga añadir la lluvia, algunos libros y la experiencia.

El mar

Lo primero que vieron mis ojos fue el mar: violentamente, como siempre estuvo el Cantábrico ante mí, airado, refunfuñando y dándome la razón a regañadientes.

Pasaron muchos árboles y meses y estaciones, al fin me hallé en el límite de Tarragona con el Mediterráneo, parado en el andén, mirándome a las manos, tan distinto de como lo vi en la guerra, tres veces más cruel y siempre mirándome, parado, a las manos.

Más tarde bajé a los mares de China, jadeantes de nocturno marfil, según hice constar en una angosta callejuela de Pekín. Sin más, salté hasta el Báltico, yo pisaba su lisa espalda de lámina indiscutiblemente fría, restos estalinistas, trizadas cruces nazis.

Ahora, esta tarde, golpean las olas en la memoria, olas redondas, locas, con coronas de tela, mientras el mar Caribe se abre a mi vista limpio como un cristal donde hubiese caído esa asquerosa mosca del consabido buque norteamericano.

Ciudades

Después del mar vinieron las ciudades, ninguna tan pura como Madrid con su cielo desnudo y ese hablar suyo, digámosle francamente, tan simpático. Yo había llegado en un turbio tren del Norte, rescatado de un gélido colegio, a mayor gloria de dios: de improviso, Madrid me iluminó como un adagio, allí vi claro que no se puede ir del colegio al cielo, como decían, sin pasar por Madrid.

Ciega Bilbao, ciudad adusta y beatona, con su temible fuerza soterrada, reflejándose en el cielo nocturno de la ría, riberas fabriles de Sestao, Baracaldo, Erandio, denso Bilbao que persistes en todo tiempo en mi acento y mis gestos, en mi terquedad de hacernos los dos más humanos, más justos, más parques.

París. Miro sus calles bordeadas de mercadillos, aspiro el tenue gris, escurren las aceras el rápido baldeo, una gruesa mujer grita algo que jamás entendí.

Zamora, vieja y remozada, ciudad de doble historia como aquella torre caída en el cauce del Duero...

Pekín está callada esta mañana de inmenso sol, la plaza de Tien-An-Men restalla su blanco sin compasión contra el verdor del parque imperial: miro estos niños que leen la cartilla en voz alta, al unísono, sílabas que saltan asustando mínimos pájaros pintados.

Palencia, plantada en estos campos góticos con su habla pura y perdurable, su palabra dando fe de vida en estos días de desidia del ritmo y del vocablo.

El incendio del «Novedades»

Todas las salidas confluían a un pasillo único, girando en media luna; a un lado el ambigú, con el redondo reloj de pared. Las 9 menos 2 minutos: apenas visto, crujen las luces, las sombras se entrelazan a las llamas (voy arrastrado, estrujado por brazos, piernas que pugnan por alcanzar la salida; un escalofrío se inicia desde la rodilla, consigo alzarme, avanzo el último tramo), estoy parado en la calle junto al mercado, rodeando oscuros portales camino como una marioneta destripada...

—Niño, ¿qué te pasa?

—Estaba en el teatro... el fuego, con mis...

—¡Quít'ayá! Si el fuego es una panadería de Maldonadas.

La estatua de Isabel II me mira entre las hojas, no ha llegado nadie al piso de Costanilla de los Ángeles, regreso con Mercedes, el cielo refleja la escena de mala gana.

A altas horas estamos reunidos todos en la casa. De una silla cuelga la chaqueta de mi padre rasgada de arriba abajo de un navajazo.

La niña fingida

¿Prisa? Ninguna. Ni tan siquiera para morir. ¿Cuánto he tardado en vivir cincuenta y dos años? Tengo la sensación de que he tardado muchísimo. ¿Te acuerdas de cuando tenías seis años? Muy poco, casi nada. ¿Cómo ves Madrid cuando salíais del colegio de la calle Atocha, e ibais mirándoos con travesura, retozando hasta el portal de Espoz y Mina? Parece que lo vi en el cine, o me lo contaron hace tiempo: es así como lo recuerdo. Qué tontos fuimos, jarroncito de porcelana. Mejor no haber vuelto, mejor quedarnos siempre en aquel parque grande que estaba en aquella calle a mano derecha según etcétera. Dime ¿qué ha sido de aquella blusa, no sé, de aquella pintura que te ponías junto a los dientes, vamos a ver cómo tienes la boca, el texto de Geografía, las ligas? Mejor habernos juntado más, mejor la misa que te quedabas en la cama, esto sí que recuerdo me lo dijiste un atardecer y me pareciste la mujer más original del mundo. Desde luego, no he vuelto a tener noticias de los compañeros de clase. Casi seguro que por lo menos nueve murieron en la guerra. Tú tendrías dieciocho o diecinueve años por aquellas fechas. Mejor haberte quedado allí, en medio de ese jardín, y no partir la vida por la mitad. Mejor almendras.

Ojalá no leas todo esto, vuelve a la acera del teatro *Calderón*, quítate las medias cuando llegue la primavera. Propósitos, ¿para qué? Que todo siga lo mismo, la calle, el cine, la última travesura del portal.

Secuencia

Cantaban las niñas los versos de Santa Teresa, aquella buena mujer que tenía tantas ganas de vivir, que veía visiones y oía voces que bien entendidas querían decir esto que se oye tanto por aquí: *los niños nacen para ser felices.* Cantaban moviendo levemente los velos, elevando la voz al llegar a

> *flor de Serafines,*
> *Jesús Nazareno,*

entonces temblaban un poco las crucecitas de plata de los rosarios, y el incienso olía intensamente y los nardos apestaban sin piedad, de nuevo variaba el tono y terminaban

> *véante mis ojos,*
> *muérame yo luego.*

Y después iban saliendo de los bancos y caminando con la frente hacia el suelo, como si reflexionasen en la última palabra que acaban de cantar: *luego*, aunque aquello no podía tener otro sentido que el de pasarlo bien, qué rico chocolate y cosas así, y todo era blanco y de colorines azules y dorados, y Dios era pequeñito y nadie entendía que los niños nacen para ser felices, y las flores fatigaban la vista y todos teníamos unas ganas terribles de ir al cine y no queríamos ver ni en pintura los magníficos cuadros de Fellini y mucho menos a tía, a la monstruo esa de tía Tula.

Rotura

En 1932 el tiempo pasaba sobre ascuas; cuánto temor infundado, cuánta economía política ante la mirada del muchacho. Entonces se produjo la rotura. Nadie la entendió, durante años y años la expuso encima del mostrador, durmió, hasta hacerse hombre, al pie de la terrible situación: silencio alrededor, silencio por los cuatro costados.

Y pues la ignoran todos, séame permitido saludar a aquel hombre con el rostro vuelto hacia el mayor silencio. Dicen que, de cuando en cuando, las vecinas cierran el libro y proponen una nefasta interpretación de las famosas líneas. Dicen que los médicos escurren el bulto como témpanos imprevistos. El tercer elemento es el más peligroso, la historia no puede retrotraerse porque detrás anda Stalin dando los buenos días a sus súbditos. Mentira todo. Sólo el hombre conoce el verdadero sentido de sus actos. Fuera de aquí la reina, el chambelán y los doctores. Detrás de todo esto, detrás del telón y de las cuerdas, hay un hombre recapacitando en silencio. Sólo él conoce el papel, elige la palabra, distingue la rotura.

Detrás está la fuerza, el centro de la acción, la sobrecogedora libertad. Tendida ante ti como la sala mayor del espectáculo, el colmo del entendimiento, la más clara salida de urgencia.

Medio siglo

El niño ha entrado en la fábrica, ha visto los grandes faroles de azufre junto al trepidar de los trenes, luego ha fingido maniobrar la fresadora, donde una viruta de oro ponía frío el suelo, rozado por las débiles sandalias.

Ha penetrado en el otro pabellón, donde se forjan obuses y cureñas, ruedas que giran horizontalmente como un abanico de martillos. Ha mirado a un hombre azul y grasiento, queriendo asirle del dedo vendado con una gasa sucia. Ha salido. Tres aviones anunciaban en el cielo el último producto de la gran empresa de la que su padre fue despedido hace dos días. Se ha ido acercando a la ciudad. Un resplandor amarillo cabrilleaba en la rama de los últimos árboles. El niño está mirando la fachada de un cinematógrafo con sus raudas bombillas azules, blancas, rojas... Caen las primeras gotas, una mujer intenta abrir sus paraguas reteniendo un gran paquete bajo el brazo. Cierran las tiendas y el niño monta en un ómnibus. Los coches serpean, se lanzan raudos, un vendedor de periódicos vocea algo inaudible entre el tráfico y la lluvia.

Mañana el ejército fronterizo disparará el primer cañonazo. No saldrá al mercado el nuevo producto de la gran empresa; por la noche se estrenará el can-can en el viejo cabaret. Los calendarios se hallan trastocados, pasados algunos años el muchacho contemplará largas manifestaciones en favor de la paz. Por la radio sonarán por vez primera extrañas apologías de los derechos del hombre y del desarme.

Un pueblo ha derribado al zar y se halla envuelto en una cruel guerra civil. El muchacho pronto será un joven de veinte o veintidós años. Ha navegado por el Mediterráneo y el Pacífico, ha leído libros que hablan de economía e historia. También leyó a Rimbaud y le tuvo por una mago perverso. No prevalece la estética ahora, sino el sentirse solidario y obrar como tal.

El ejército fronterizo dispuso sus cohetes en actitud de lanzar el último producto de la gran empresa. Le ha temblado la mano al Presidente y ahora descarga su rencor sobre un pequeño poblado de Asia. Crece la indignación en las naciones y el pueblo que derribó las caducas estructuras coexiste poderoso. La paz se halla asediada y protegida, el joven ha penetrado en el otro pabellón.

...aunque ama y estima a su patria por juzgarla dignísima de todo cariño y aprecio, tiene por cosa muy accidental el haber nacido en esta parte del globo, o en sus antípodas, o en otra cualquiera.

JOSÉ CADALSO

Pensándolo bien, lo primero que hay que tener en cuenta es que con la misma facilidad con que nací en la calle Hurtado de Amézaga, pude no haber nacido. En Hurtado de Amézaga, ni a la vuelta de la esquina. Así como suena, no haber nacido. Creo que fue una posibilidad con bastantes probabilidades de suceder. Pero se equivocaron, y a cierta hora del día 15 de marzo de 1916, salí afuera y aquí estoy. Como ello ocurrió, efectivamente, en una casa de la referida calle, y dejando de momento aparte ciertos recovecos de la historia, resulta que mi patria es España, a la que amo y estimo sin que me tenga que esforzar mucho en volver a repetirlo. Hay que ver los ríos, las montañas y las llanuras que ostenta esta parte del globo, y a los cuales juzgo dignísimos de todo cariño y aprecio. Sin hablar de las piedras, que cada vez que veo en otros países una piedra vieja, tirando a monumento, bien sea iglesia, castillo o simplemente piedra de una pieza, armo un escándalo en medio de la plaza, inflamado por el más ardiente patriotismo. Y lo mismo me sucede cuando admiro una brillante usina —así suena mejor— pues hasta estos exponentes del esfuerzo y del progreso humanos los he visto en algunos lugares de mi país con estos ojos que se ha de tragar tan noble tierra.

Pasando al párrafo siguiente, debo admitir que de la misma manera pude haber venido al mundo quinientos años antes y, lo que es más grave, en una isla de Oceanía o, si me descuido, en Checoslovaquia. Vaya usted a saber. ¿Qué decir entonces, adónde ir

si ya estoy en el extranjero? Y en cuanto a mi que-
hacer vital, profesional y sentimental —porque algo
hubiera habido de todas maneras que hacer—, es
evidente que habría sido notablemente distinto de
lo acaecido hasta la fecha, pues ¿cómo iba a haber
llegado aquella tarde a Aldea del Rey, cómo hubiera mandado a paseo mi puesto en la fábrica, cómo
comprar un bolígrafo en Villarcayo? Los dioses saben
mucho, pero a veces hay crisis en el gobierno, se
convocan elecciones, y tiene uno que decidirse porque
luego no autorizan el pasimisí. Tremendo problema,
dictaminar acerca de la propia conducta, y más no
sabiendo cuándo, cómo ni dónde habríamos de pro-
ceder. Prefiero este disco, que tiene duende:

> *Este galapaguito*
> *no tiene mare,*
> *lo parió una gitana*
> *lo echó a la caalle...*
> *lo echó a la caalle...*

La verdad es que la calle siempre me ha parecido dignísima de todo aprecio y cariño, por muy accidental que fuese, como ocurrió con el número aquel
de Hurtado de Amézaga, que poco bien que está sin
mármol ni letras labradas, como el pobre portal de la
calle de la Ronda, donde nació ese hereje tan religio-
so de MIGUEL DE UNAMUNO Y JUGO. A quien
no amo ni estimo, a no ser que hubiese visto la luz
de las antípodas (como en su juventud), hubiese fi-
losofado sin tanta carraca y aprendido simplemente
lo que es un poema, un simple verso que se moviese
por sí solo.

> *Esa montaña que, precipitante...*

O, mejor dicho todavía:

> *Y en la tardecita,*
> *en nuestra plazuela*
> *jugaré yo al toro*
> *y tú a las muñecas.*

Ah, esto sí que es digno de loar, y estimar, y amar, mi lengua propia y por derecho propio, mi castellano, y mi cordobés, y ante todo, mi euskera escamoteado, y mi gallego, y mi extremeño, y mi catalán, y que no me vengan antípodas ni apátridas a mentarme la lengua que me parió, que la tengo por cosa muy substancial, más aún, consubstancial a mi vida, mi morir, y mi nacer.

Reforma agraria

Aquí nos exhibimos tal como somos, en la feria colorista. Donoso retablo de maese Pedro, bajo el din-dón de las campanas, atabales de la tarde de toros, chirimías y carruseles verbeneros. *¡Hermosa tierra de España!* Campo de soledad, éxodo hacia la ciudad, emigración hacia improbables países. El campo y sus anchas espaldas. La boca desdentada. El santo campo blanqueado.

Estático. ¿Los siglos? Sombras vanas. Se nos apareciese en esta llanura el rancio arlequín de Don Quijote, no fingiríamos asombro. Se moviese por estos campos gente armada de la Santa Hermandad, no dudaríamos un momento. Adviniese por ese sendero algún familiar del Santo Oficio, estamos curados de espanto.

El aire

El aire mueve levemente las páginas del libro, ésta es una de sus misiones principales; desconfiad del libro encerrado en sí mismo, de las sabias o hermosas palabras que se agostan al simple contacto del aire.

El aire cambia sus billetes a cada paso, billetes verdes del mar con la vuelta de las olas, monedas de cobre del otoño que suenan a nuestro paso matinal por el Luxemburgo.

El aire es la imagen de la libertad, sin estatuas tramposas ni antorchas trasnochadas. Balancea las altas ramas de las palmas a 90 millas de los millonarios miserables.

El aire es sabiduría y música del entendimiento. No hay diálogo posible si el aire falta, entonces la atmósfera se enrarece y el ciudadano se entontece.

Vida-isla

Ahora está todo mezclado, de manera que resulta imposible escribir una sola línea.

Por aquí aparece La Habana, pero con restos del mar Cantábrico colgando de mis diecisiete años, confundiéndome los papeles, el dictado y el temor a la falsa literatura (pues no hay otra, en verdad os digo que la literatura me hace reír),

esto es un callejón sin salida junto a mi pluma de escribir traída de Shanghai, donde los muelles tanto se asemejaban a los del Nervión, salvando las distancias,

estamos ya a medio camino del final de mi vida cuando todavía me queda tanto que contar, pero qué lejos aquellos quince años que dudo fuesen míos,

aquellas ropas chapadas que traían las cien mejores antologías de todos los Institutos, Lyceos y Colegios de diferentes países que iba pasando en silencio entre las hojas blancas y negras y blancas del *Tesoro de la Juventud*,

todo esto ocurre a partir de 1916 y yo sin enterarme de que años después iba a tocar fondo, y debo añadir la plaza del Arenal donde la gente corría de boca en boca el rumor de una sublevación de militares que me llevó como un leño arrastrado hasta la desembocadura del Turia,

y estando en Paterna tuve la desgracia de abrir el periódico y encontrar un anuncio de la guerra mundial a tanto la línea que después no sirvió para nada, como ocurrió con el cinturón de Bilbao, hasta que llegaron a las cercanías de Moscú y luego cayeron las primeras bombas sobre Hanoi y todo el mundo estaba en contra de la literatura y a todo esto otros pueblos tocaron fondo,

y ahora está todo mezclado y hay cada vez mayor claridad y debajo va surgiendo débilmente La Habana entre una luz que se enciende en el piso undécimo del *Riviera* y la llama de la refinería del puerto que se estremece al primer contacto de la pluma.

Adiós, Cuba

Estas son de las líneas más serias que he tenido que escribir en mi vida. Aguardad un momento, voy a ponerme un jersey. Dicho y hecho. Y si dije *jersey*, lo mantengo, porque si olvidamos lo poco que aprendimos de niños, ¿con qué derecho vamos a pretender dirigirnos a los hombres? Hay que haber vivido por lo menos tres años en Cuba, hay que tener la pretensión de decir la verdad, toda la verdad y parte de la mentira. He aquí la situación límite de una isla rodeada de viento por todas las partes. Aquí han ocurrido grandes y terribles esperanzas, han halado con todas sus fuerzas sin varar en el vacío. Adiós, Cuba. Tú sabes que con la misma facilidad me pongo un *suéter* que me quito la retórica de encima. Agur. Mucho me enseñaste, mucho descubrí por mí mismo. Que mi despedida salga a la calle, que sea publicada y recogida por el mayor número de lectores posible. Nos movemos siempre entre situaciones límite, pero yo limito sólo con el viento. Volveré. No mires atrás. Adiós, Cuba.

Pasar

...lo nuestro es pasar, / pasar haciendo caminos, / caminos sobre la mar. ¿Nada queda entonces? Hemos de tener mucho cuidado de no errar en asunto tan principal. *Nuestras vidas son los ríos / que van a dar* etc. Cuantas veces hemos parado en las severas líneas de Manrique, hemos sentido una confusa sensación de fraude en nuestro espíritu. Ríos contemplados en ciudades y campos diversos. Carrión, Darro, Ebro... Seine, Vltava, Neva... Pasan por las anchas tierras, a través de viejas puentes, reflejando cielos contrarios, ciudades maravillosas... Yo mismo fui pasando de mi medrosa niñez a mi confusa adolescencia etc. Inevitablemente fui cruzando multitud de azares, bajo cielos turbios o zarcos, reflejé mi época y buceé versos sin tocar fondo.

Sólo la soledad alumbró el sentido de mi incesante trasiego, pues iba a ella colmado de pasos, miradas, palabras. Lo nuestro no es pasar, ni reír, porque lo nuestro no somos nosotros sino nuestro hacer, la piedra que apoyamos en otra semejante, el surco que permanece al cerrarse, el cálculo del matemático que coadyuga a nuestro vivir.

No se engañe nadie, no, innumerable como las ondas de un río es el afán del hombre y permanente como el mar el ritmo de su trabajo.

Las nubes

La mañana exalta sus límites. Un vaho violeta desvae las cimas de las montañas. El vagamundo está tendido en un ribazo, las manos a la nuca: contempla el lento trashumar de las nubes. En la hierba posan dos breves libros: el de Fernando de Rojas y los *Pequeños poemas en prosa*. El vagamundo entorna de cuando en cuando los párpados: por su memoria pasan hermosas palabras perdurables... El día colorea con mano maestra el huerto cercano, las copas de los olmos, las ensoñadoras cumbres.

Las nubes se deslizan serenas por el hondo azul, metamorfoseando los bordes, tomando cambiantes formas de islas, rostros, faunas incógnitas... Una nube morada fue dilatándose de sur a norte, estrechando y serpenteando sus riberas. Acaso adquiriendo una fugaz semejanza con Vietnam.

Un viento brusco revuelve las ramas, la luz se torna cárdena. El vagamundo alcanza sus libros, se incorpora lento y va descendiendo junto al regato que brinca como un guerrillero.

La paz se ha destrozado, y el cielo es una lamentable tienda de campaña.

El vagamundo

Qué bellas costas, grandes corolas anaranjadas, arrecifes como roñosas navajas de afeitar, cedros redondos ostentosos. Partió al amanecer, cuando la brisa silbaba en el bauprés y las olas murmuraban unas de otras y un albatros chilló bajo el peso del cielo.

Le atrajo el mar Amarillo, dibujó sus litorales y rozó sus islas, salió al mar de Japón y adentró sus puertos y ensenadas, pasando luego al mar de Ojotsk por un viraje imprevisto de los vientos.

Cuando entró en Hiroshima comenzaba a clarear. Los altos edificios del centro de la ciudad se ladeaban imperceptiblemente en el pálido papel celeste.

Aquí de Elio Adriano,
de Teodosio Divino,
de Silio peregrino
rodaron de marfil y oro las cunas...

Ningún vestigio resta de *aquello*, apenas unas ruinas bien atendidas. Mas todavía algunos seguirán muriendo, se engendrarán otros con el terrible estigma.
El mar traslada sus tiendas, esplende este mediodía como espejo con que juega un niño, una página de atlas se agita un instante en la rodilla del vagamundo.

Mira telescópica

¿Cómo puedes escribir ante un espejo, no ves que se te están cayendo la lengua, los párpados, las consonantes, los botones, y quién es esa que canta en la otra habitación? He cerrado todos los libros, las luces, las gavetas, pero está visto que es difícil escribir ante un espejo, de manera que contemplaré el resplandor de los incendios de Menphis, Chicago, Washington, Detroit y Filadelfia fijando bien las consonantes, sujetando los párpados con los dedos índice para ver a través de los titulares de la última plana:

VIOLENTA LUCHA CON SOLDADOS
NORTEAMERICANOS EN ROMA

110

ENTERRARÁN A KING EL MARTES

CRUCIGRAMA

Vamos a la cama para descansar. Por esta noche vamos a dormir, que mañana hay mucho qu hacer, y no dejar de hacer, como es sabido.

El mundo

Ahora me voy a vengar: lo primero de todo de mí mismo, del cuidado de mis uñas, del temor a herir, de mi expresión tan comedida, del exceso y de la falta de sinceridad, del perdón y del castigo, del crimen y de la novela, del mujik y del señor.

Ya he leído bastante, ahora pasemos al comedor, contemos los cubiertos y echemos un vistazo a los cuadros de la sala, salgamos al jardín y contemplemos las nubes, la manga de riego, la puerta del garaje y las hormigas. Aquí dice que ayer han asesinado a Luther King, mañana nadie se acordará de Caín y Abel pero veremos a Lumumba en las estampas de todos los libros y volveré al comedor con un niño transparente y le podré contar todos sus huesos, agitaré la campanilla y entrará Johnson caricaturizado de mayordomo y el niño moverá un dedo y todos los platos serán servidos y saldremos al jardín y le leeré un cuento de Chéjov bajo unas nubes blancas y maravillosas que no hacen daño a nadie.

Labor

Paz para la pluma y para el aire.

Paz para el papel y para el fuego.

Paz para la palabra y para la tierra.

Paz para el pan y para el agua.

Paz para el amor y para la casa.

Paz para el pensamiento y para el camino.

Paz para la semilla y para el átomo.

Paz para la obra y para el hombre.

Todo

Gracias doy a la vida por haberme nacido.

Gracias doy a la vida porque vi los árboles, y los ríos y el mar.

Gracias en la bonanza y en la procela.

Gracias por el camino y por la verdad.

Gracias por la contradicción y por la lucha.

Gracias por aire y por cárcel.

Gracias por el asombro y por la obra.

Gracias por morir; gracias por perdurar.

Epílogo

por Sabina de la Cruz

Notas biográficas

1916-1922

Blas de Otero y Muñoz nace en Bilbao el 15 de marzo de 1916, en la calle Hurtado de Amézaga, número 30, en el seno de una familia de la burguesía vasca. Desciende por línea materna del valle de Orozco y por la paterna de Bilbao. Vizcaíno, por ambas ramas, vive su infancia en un ambiente de gran prosperidad.

1923-1926

Primeras letras en Bilbao, en el instituto-escuela de María de Maeztu y luego en los Jesuitas de Indauchu.

1927-1932

Muchos industriales bilbaínos comienzan a sufrir los primeros embates de la crisis económica de finales de los 20. Entre ellos el padre del poeta. Intentando salvar su fortuna, ya muy quebrantada, se traslada con su familia a Madrid. En los cinco años que permanecen en la capital, se consumará la ruina total. Aquí hace Blas de Otero el bachillerato, examinándose en el Instituto Cisneros. Primeros amores adolescentes («Jarroncito de porcelana»). Lecturas de los Machado y Juan Ramón Jiménez y composición de poemas primerizos. La muerte de su hermano mayor, a los dieciséis años, y de su padre en 1932, le impide realizar su deseo de estudiar Letras y se matricula en Derecho. Conflicto vocacional.

1933-1936

Vuelta a Bilbao, con la madre y sus dos hermanas. Mientras estudia Derecho es presidente de la Asociación Profesional de Estudiantes de Derecho (Federación Vizcaína de Estudiantes Católicos). Pertenece a un grupo de jóvenes poetas y músicos bilbaínos. Publica en periódicos y revistas de su ciudad. En 1935 termina Derecho.

1936-1941

Participa en la guerra civil, primero en un batallón vasco y luego, a la caída de Bilbao, es llamado a filas y enviado al frente de Levante. Al terminar la guerra española y de nuevo en Bilbao, entra a trabajar como abogado asesor en una empresa metalúrgica vasca. Escribe allí su primer libro de poemas, un pequeño folleto dedicado a San Juan de la Cruz: *Cántico espiritual*.

1943-1946

Deja su trabajo de abogado y marcha a Madrid para estudiar Filosofía y Letras. Conoce a Carlos Bousoño y Eugenio de Nora y, por su mediación, a Vicente Aleixandre, Dámaso Alonso y todos los jóvenes poetas que se reunían en la casa de la calle Welingtonia. En la Semana Santa de 1944 abandona Madrid y los nuevos estudios. Dura crisis vocacional que le mantendrá alejado de la vida activa durante más de un año.

1947-1949

Da clases de Derecho a alumnos particulares mientras escribe los poemas que serán luego *Ángel fieramente humano*, *Redoble de conciencia* y muchos de *Ancia* no incluidos en aquellos libros. Amistad con pintores y poetas bilbaínos. Correspondencia con los poetas de Madrid a quienes había conocido en 1943-1944. Uno de ellos, Rafael Morales, será asiduo visitante de Bilbao e íntimo amigo suyo. Lecturas de los filósofos europeos, de los clásicos españoles y extranjeros. Preocupación angustiosa por un mundo en paz. Publica en la revista donostiarra *Egan* sus «Poemas para el hombre», núcleo del futuro *Ángel*, que en 1949 presentará al premio Adonais. La prensa airea que se le ha negado este premio por razones ajenas a su valor literario. Conoce a Gabriel Celaya.

1950-1952

Edición del *Ángel* en *Ínsula*. Conceden a su segundo libro, *Redoble de conciencia* (que se publicará en 1951), el premio «Boscán». Siente el poeta la necesidad de salir de España, y, vendiendo su biblioteca, compra el billete para París. Allí estará casi un año, hasta finales de 1952, conviviendo con los exiliados españoles. Es entonces cuando se afilia al Partido Comunista. Es seleccionado entre los nueve poetas de la *Antología Consultada*.

1953-1956

Numerosos viajes por España, dando conferencias y recitales. Breve estancia en una mina de hierro vizcaína, trabajando entre los mineros para comprender su vida y sus necesidades. Se han ido así gestando los poemas que publicará en 1955 bajo el título de *Pido la paz y la palabra*.

1956-1959

Vive en Barcelona durante tres años, participando en la vida literaria catalana. En 1958, Puig Palau publica *Ancia*, que obtiene el «Premio de la Crítica». Participa en el homenaje a Machado de Collioure y en el de la Sorbona. En diciembre de 1959 sale en París, en edición bilingüe, *Parler Clair (En castellano)*.

1960-1964

Invitado por la Asociación Internacional de Escritores, visita la Unión Soviética y China. A finales de 1961 vuelve a Bilbao, donde vive, como siempre, con su madre y su hermana mayor María Jesús. En 1962 le conceden el Premio Fastenrath y el internacional Omegna Resistenza en 1963. Ese mismo año se edita en Puerto Rico su antología *Esto no es un libro* y recibe, estando en París, la invitación a formar parte del jurado del Premio «Casa de las Américas». A comienzos de 1964 sale con este fin para La Habana. Se publica en París *Que trata de España*, libro que en edición mutilada por la censura había salido ya en Barcelona.

1964-1968

Vuelta a España y nuevo viaje a la Unión Soviética en 1965. Seguidamente regresa a Cuba, donde permanece hasta 1968. Allí se escriben la mayor parte de las prosas que publicará a su vuelta a España con el nombre de *Historias fingidas y verdaderas*. Trabaja en el periódico *España Republicana* y da recitales y conferencias por toda la isla. En 1967 se divorcia, después de tres años de matrimonio.

1968-1979

Volverá definitivamente a España el 29 de abril de 1968, estableciendo su domicilio en Madrid, después de ser operado en el mes de mayo de un tumor canceroso que pone en inminente peligro su vida durante varios años. En 1969 publica su antología *Expresión y reunión* y en 1970 *Historias fingidas y verdaderas* y *Mientras*. Desde entonces sigue cuidando la edición de sus obras, hace nuevas antologías [*País* (1971), *Verso y Prosa* y *Poesía con nombres* (1979), *Todos mis sonetos* (1979)] y trabaja en un nuevo libro,

Hojas de Madrid y con la galerna, aún inédito, pero del cual ha ido incluyendo poemas en todas las antologías anteriores, en diversas revistas y en *Mientras*. Una nueva y feliz unión ilumina la vida sentimental del poeta estos últimos once años. Saldrá solamente tres veces al extranjero: a Londres en la Semana Santa de 1973 y a Lisboa en 1974 y 1975, pero recorre toda España en frecuentes y cortos viajes. En 1976 colabora en el homenaje a Miguel Hernández, celebrado en Alicante y Orihuela. Y en el de García Lorca de Fuentevaqueros y Granada. Pasa los veranos de 1971 a 1973 en Santander y desde 1974 en San Sebastián. En Bilbao vive su madre, ya muy anciana, las hermanas que la cuidan, los viejos amigos, y vuelve todos los años atraído por el cariño. Hombre silencioso, poco dado a la exhibición de la vida social, es, sin embargo, un paseante que recorre las calles madrileñas, participa en la vida de las gentes sencillas de su barrio y en los grandes aconteceres históricos. La música y la lectura son sus ocupaciones cotidianas mientras, lentamente, va escribiendo los poemas de su último libro. No llegará a publicarlo. Muy trabajado su corazón, muere de una embolia pulmonar en el aire puro de Majadahonda el 29 de junio de 1979.

Análisis del discurso poético en un soneto de *Ángel fieramente humano*

CIEGAMENTE

Porque quiero tu cuerpo ciegamente.
Porque deseo tu belleza plena.
Porque busco ese horror, esa cadena
mortal, que arrastra inconsolablemente.

5   Inconsolablemente. Diente a diente,
voy bebiendo tu amor, tu noche llena.
Diente a diente, Señor, y vena a vena
vas sorbiendo mi muerte. Lentamente.

Porque quiero tu cuerpo y lo persigo
10   a través de la sangre y de la nada.
Porque busco tu noche toda entera.

Porque quiero morir, vivir contigo
esta horrible tristeza enamorada
que abrazarás, oh Dios, cuando yo muera.

Este soneto es uno de los poemas más antiguos de *Ángel fieramente humano*. Fue compuesto en 1947 y publicado por primera vez entre los once «Poemas para el hombre» que da la revista *Egan* (San Sebastián, 1948). En la estructura del libro se incluye en el apartado «Desamor», donde el poeta agrupa ocho poemas de tema amoroso. En casi todos ellos hay una equívoca mezcla de la mujer y de Dios. En un intento de explicar desde el lenguaje poético ambas presencias y su significado, se emprende este análisis.

Los distintos niveles del discurso poético se organizan en este soneto en una complicada estructura de interacciones y paralelismos, en cuya red se debate el poeta en una lucha exacerbada por paralizar el tiempo. El tema es el amor en un sobrehumano esfuerzo por *ser* y *perdurar* contra la muerte. Por ello, la lengua poética tratará con todos sus recursos de detener el tiempo, haciendo de la agónica lucha amorosa un modo de supervivencia.

Alarcos Llorach, el más calificado especialista en la poesía oteriana, fija la atención en los efectos de lentitud que consiguen las perífrasis progresivas de ir con gerundio «haciendo así que el proceso sea captado no como aspecto resultante —y parado, sin energías—, sino como estado de gestación en que operan, están operando y bullendo fuerzas, pues sabido es cómo el gerundio nos presenta la acción verbal en su aspecto puramente durativo». Añade a esto el efecto idéntico de las frases adverbiales de tipo iterativo «diente a diente», «vena a vena» y, en el componente rítmico del verso el alargamiento que introducen los adverbios en *-mente* así como la incidencia que esta ralentización tiene en el plano del significado, pues «un vocablo tan largo hace que la significación —poética, claro— de su radical se prolongue resonando a través de la materia casi vacía del *-mente*, y que en conjunto el sentimiento sugerido ocupe más espacio y sea, por tanto, más eficiente»[1].

Esta paralización del tiempo es una suerte de exorcización que la lengua poética del soneto intenta a través del significante. «Durée personelle de grande expresi-

---

[1] *La poesía de Blas de Otero*, págs. 79-87. Para el efecto rítmico cuando el adverbio en *-mente* ocupa el segundo segmento del endecasílabo, *vid.* mi artículo «Los sonetos de Blas de Otero», en *Alaluz,* 2, 1980, págs. 8-15 (en parte se incluye en el prólogo a *Todos mis sonetos,* de Blas de Otero). Siempre que se cite en este trabajo alguno de los libros que figuran en la *Bibliografía* crítica, señalaremos únicamente la página, remitiendo al lector allí para completar la ficha bibliográfica.

vité» lo llama Martín-Hernández[2]. Lo mismo puede decirse de los infinitivos del v. 12 («morir, vivir»), ya que las formas nominalizadas o adjetivadas del verbo no marcan rasgos temporales[3] y del resto de las formas verbales en presente intemporal («quiero», «deseo», «busco», «persigo», «arrastra»). En el último verso, el único tiempo en futuro, junto con el subjuntivo de la oración temporal («cuando yo muera»), proyectan la acción en un más allá que, en cierto modo, es una victoria sobre lo irreversible (*tú*, Dios, abrazarás ineluctablemente lo que de mí queda: el amor. *Yo*, aún *seré* en el amor). No hay (diremos más bien, falta) una forma verbal de pretérito. Sin embargo, esta *ausencia* está en el texto implícita en la propia subordinación causal con que empieza el poema. En ella (aun cuando los tiempos verbales sean presentes como en la principal) empieza la secuencia temporal que toda causa y consecuencia comporta: un antes y un después contemplados desde el después. Sin embargo, no es en esta perspectiva donde nos sitúa el poema, sino que, al anteponer las tres subordinadas causales en el primer cuarteto, desautomatiza el proceso y revela el momento anterior (ese pasado de verbos en presente) donde se ha generado la inconsolable pena.

El análisis sémico[4] de estos tres verbos descubre el mismo sema de la «ausencia», en un movimiento de gradación vehemente hacia la posesión de lo que se desea: esa es la búsqueda, que en este poema termina inexorablemente en la muerte.

La *ausencia* que expresa el primer cuarteto «arrastra» hacia su consecuencia, el dolor, «inconsolable-

---

[2] *Structures*..., pág. 197, «ce ralentissement affecte, non seulement l'action évoquée, mais aussi —et surtout— la temporalité du sujet parlant».

[3] Julia Kristeva, «Semanálisis y producción de sentido», en *Ensayos de semiótica poética*, Barcelona, Planeta, 1976, pág. 297.

[4] A. J. Greimas, «Hacia una teoría del discurso poético», en *Ensayos de semiótica...*, *op. cit.*, págs. 18-19.

mente» sin término. Por eso están unidos los dos cuartetos por la anadiplosis del adverbio «inconsolablemente» que cierra uno y abre otro. En él se explaya la expresión lentísima de la pena. Se va acentuando progresivamente la duración con todos los recursos de la lengua (isotopías en el nivel prosódico y sintáctico, tanto en el paradigma como en los sintagmas)[5]. Es un entretejido de iteraciones[6], de aparejamientos[7] que van ralentizando y cerrando sobre sí mismo todo el cuarteto. Esta connotación durativa recibe un último recipiente léxico, «lentamente», que resume lo que se ha ido realizando a través del significante. (*Vid. Cuadro de isotopías.*)

Los tercetos enlazan con el primer cuarteto no solamente por su misma estructura causal y el paralelismo vertical de los verbos, sino también por la prolongación que en ambos grupos produce la *amplificatio* por subordinación o coordinación de otras oraciones (de relativo en el v. 4, la copulativa del verso 10 y la hipótasis del v. 12, así como la de relativo y la temporal del v. 14). Este procedimiento de expansión sintáctica (obsérvese el esquema) va adquiriendo un mayor relieve según transcurren los versos de los tercetos, y en el último de éstos escalonan la rama tensiva de la curva melódica que va lentamente bajando hasta la distensión final: la muerte.

La descripción del proceso comienza en el pasado con una *ausencia* que lleva hacia la *búsqueda* trabajosa de lo deseado y es la causa de un interminable des-

---

[5] François Rastier, «Sistemática de las isotopías», en *Ensayos de semiótica...*, *op. cit.*, págs. 170-140.

[6] M. Pagnini, *Estructura literaria y método crítico*, Madrid, Cátedra, 1975. *Vid.* las páginas 35 a 55 sobre la iteración fónica y la subjetividad del significante, cuya repetición no es, según él, retórica meramente, sino significativa (signo autónomo de significación).

[7] *Vid.* Levin, *Estructuras lingüísticas de la poesía,* Madrid, Cátedra, 1974, págs. 53-60.

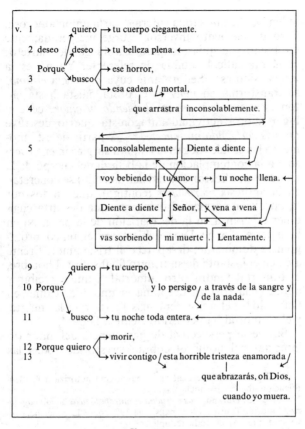

«Ciegamente»
CUADRO DE ISOTOPIAS

consuelo. Esta persecución hacia el *tú* es la raíz misma de la vida y persistir, durar en ella, es esencial para el hombre: el *yo* lírico, *ciego* buscador de esa noche «plena», «llena», «toda entera»[8] de la unión amorosa. Pero un elemento inversor[9] surge inesperadamente en el centro del quiasmo que cruza el segundo cuarteto: el *tú* gramatical cambia de referente. Ya no es la mujer, sino ese «Señor» ante cuya presencia el *amor* se transforma en *muerte;* el protagonista hasta entonces activo *(yo que voy bebiendo tu amor)* cede el lugar a otra actividad antagonista que lo destruye *(tú vas sorbiendo mi muerte)*[10]. A partir de este momento las señales negativas que ya surgieron en el verso 3 a la contemplación de la belleza del cuerpo de la amada («ese horror esa cadena/mortal») se concretan en la antítesis *morir/vivir* (contigo), que unidos por la oposición forman el oxímoron que descarta cualquier esperanza en la desaparición de la pena. Ni en la muerte, donde Dios debiera ser el único protagonista dominante, desaparece el triste amor. Frente a él, en el instante de su triunfo final sobre el hombre, el Inmortal tendrá otro inmortal a quien recibir y abrazar: la tristeza del alma enamorada. Como en Quevedo[11], el amor será más fuerte que la muerte, y el *yo* mortal ha persistido frente a Dios[12].

Bajo esta perspectiva de persistencia del amor (lo inmortal del hombre) cobran su sentido todas las

---

[8] El paralelismo vertical en el paradigma autoriza a la identificación «belleza = noche».

[9] *Vid.* G. Durand, *Las estructuras antropológicas de lo imaginario*, Madrid, Taurus, 1982, págs. 198-199, sobre la conciencia inversora que hay en toda reduplicación.

[10] Téngase en cuenta que toda alimentación supone una transustanciación (Durand, *op. cit.*, págs. 244-245) y una identidad. Hay aquí un paso que va del tú = [yo], yo = [Tú], luego tú = Tú, realización del cambio del objeto.

[11] El famoso soneto «Amor triunfante más allá de la muerte» cuyo último endecasílabo «polvo serán, mas polvo enamorado» traduce el mismo sentimiento que el v. 13 de nuestro poema.

[12] Este *yo* es una variante que el poeta introduce en 1950. En *Egan* (1948) aparece *me* en su lugar. Nótese ahora la importancia que tiene en el plano del significado el cambio de la forma indirecta del pronombre personal *me* por el indicador activo de la persona *yo*.

estructuras paralelas y las gradaciones que ralentizan el soneto. A mi juicio, pueden resumirse en el movimiento que lleva el encabalgamiento: desde el sintagmático abrupto y único que hay en el primer cuarteto hasta el oracional que abarca todo el segundo terceto:

«Cadena / mortal»,
«diente a diente, / voy bebiendo tu amor»
«vena a vena, / vas sorbiendo mi muerte».

«quiero tu cuerpo y lo persigo / a través de la sangre y
de la nada».
«quiero morir, vivir contigo / esta horrible tristeza enamorada que abrazarás,
oh Dios, cuando yo
muera».

El nivel léxico establece dos campos principales de atención semántica: el de la *noche* (sin su correlato la luz, puesto que el que pudiera llevar «belleza plena» queda anulado por el paralelismo sintagmático «noche llena», los dos adjetivos, variantes etimológicas castellanas de la misma palabra latina *plēnus*, que connota más sombríamente «noche toda entera») y el de la *búsqueda*. Como en la más tradicional «salida» mística, aquí también se busca lo deseado en el seno de la noche. Y aún más, es la noche misma (lugar nupcial) lo que se persigue y se desea y se bebe en el ansia del deseo. Pero aquí termina toda similitud: no hay «noche dichosa» como en San Juan de la Cruz, ni el que va «ciegamente» en pos de la noche tendrá bastante «luz y guía» como la que en el místico «corazón ardía» [13]. Habrá también abrazo final, sí, pero

---

[13] La «noche oscura» es en el poema sanjuaniano lugar del encuentro feliz y de la unión mística. Noche celestina que encubre a los amantes, revalorizada por los prerrománticos. Pero es tam-

por el camino se han trastocado los brazos que se buscan: desaparecen los protagonistas primeros (hombre-mujer) para alzarse *dos antagonistas: Dios* y *yo.* Últimos combatientes en el campo de la muerte, eternos ambos por virtud del amor que ni el mismo Dios podrá destruir en su constrictivo abrazo final.

---

bién la fuente íntima de la reminiscencia y del inconsciente, de ella nacen los terrores, sobre todo cuando, como aquí, está connotada desde el primer verso por el adverbio *ciegamente* («Alucinación, efecto que ofusca la razón», según el *DRAE)*. Desde el Eros-Cupido de los ojos vendados (el «ciego amor») hasta el terrible Edipo, la ceguera es ofuscación que puede llevar a la «unión gloriosamente extática» o a la muerte. *Vid.* a este respecto G. Durand, *op. cit.,* págs. 208-9 y 227-8, así como págs. 86-88.

Bibliografía

a) Ediciones de la obra literaria de Blas de Otero

1941: «Cuatro poemas», en *Albor. Cuaderno de poesía*, 6 de marzo de 1941. Ed. José Díaz Jácome, Pamplona, Ediciones Alauda, 1941.

1942: *Cántico espiritual*. Cuadernos del grupo «Álea», número 2, 1.ª serie, San Sebastián, Gráfico-Editora, 1942.

1943: «Poesía en Burgos», en *Escorial. Revista de Cultura y Letras*, 34, agosto de 1943, págs. 221-224.

1948: «Poemas para el hombre», en *Egan: Suplemento de Literatura del Boletín de la Real Sociedad Vascongada de Amigos del País*, 1, enero-febrero-marzo, 1948, páginas 3-9.

1950: *Ángel fieramente humano*, Madrid, Ínsula, 1950.

1951: *Redoble de conciencia*, Barcelona, Instituto de Estudios Hispánicos, 1951.

1952: *Antología y notas*, Mensajes de Poesía, 11, I, Vigo, 1952.

1955: *Pido la paz y la palabra*, Torrelavega, Cantalapiedra, 1955.

1958: *Ancia*, Barcelona, A. P., 1958.

1959: *Parler Clair* (En castellano), ed. bilingüe. Traducida del español y prologada por Claude Couffon, París, Pierre Seghers, 1959.

1960: *En castellano. Poemas*, México, Universidad Autónoma de México, 1960.

— *Ángel fieramente humano. Redoble de conciencia*, Buenos Aires, Losada, 1960.

— *Con la inmensa mayoría. (Pido la paz y la palabra. En castellano)*, Buenos Aires, Losada, 1960.

1962: *Hacia la inmensa mayoría*, Buenos Aires, Losada, 1962.

1963: *Esto no es un libro*, San Juan de Puerto Rico, Editorial universitaria de Puerto Rico, Río Piedras, 1963.

1964: *Que trata de España*, Barcelona, R. M., 1964.

— *Que trata de España*, París, Ruedo Ibérico, 1964.

— *Que trata de España*, La Habana, Editora del Consejo Nacional de Cultura, 1964, 1.ª parte: Libro I, *Pido la paz y la palabra;* Libro II, *En castellano;* 2.ª parte: Libro III, *Que trata de España*.

1969: *Expresión y reunión. A modo de antología (1941-1969)*, Madrid, Alfaguara, 1969.
1970: *Historias fingidas y verdaderas*, Madrid-Barcelona, Alfaguara, 1970.
— *Mientras*, Zaragoza, Javalambre, 1970.
1971: *País: Antología 1955-1970*, selección y prólogo de J. L. Cano, Plaza y Janés, Esplugas de Llobregat, 1971.
— *Ancia*, prefacio de Dámaso Alonso, Madrid, Visor, 1971.
1972: *Con la inmensa mayoría (Pido la paz y la palabra y En castellano)*, 2.ª ed., Buenos Aires, Losada, 1972.
1973: *Ángel fieramente humano. Redoble de conciencia*, 2.ª ed., Buenos Aires, Losada, 1973.
1974: *Verso y prosa*, Madrid, Cátedra, 1974.
— *País: Antología 1955-1970*, selección y prólogo de J. L. Cano, Col. Rota Viva, Plaza y Janés, Esplugas de Llobregat, 1974.
— «Escrito para», en *PSA*, CCXVI, t. LXXII, marzo de 1974, págs. 253-264.
1975: *País: Antología 1955-1970*, selección y prólogo de J. L. Cano, Col. Rota Viva, 2.ª ed., Plaza y Janés, Esplugas de Llobregat, 1975.
— *Pido la paz y la palabra*, Barcelona, Lumen, 1975.
1976: *Verso y prosa*, 2.ª ed., con tres poemas más que en la 1.ª ed., de *Hojas de Madrid*, Madrid, Cátedra, 1976.
1977: *Con la inmensa mayoría (Pido la paz y la palabra y En castellano)*, 3.ª ed., Buenos Aires, Losada, 1977.
— *Todos mis sonetos*, Madrid, Turner, 1977.
— *En castellano*, Barcelona, Lumen, 1977.
— *Poesía con nombres*, Madrid, Alianza Editorial, 1977.
— *Que trata de España*, Madrid, Visor, 1977.
— *País. Antología 1955-1970*, selección y prólogo de J. L. Cano, Col. Rota Viva, 3.ª ed., Plaza y Janés, Esplugas de Llobregat, 1977.
1979: *Poesía con nombres*, 2.ª ed., Madrid, Alianza Editorial, 1979.
1980: *Historias fingidas y verdaderas*, 2.ª ed., introducción de Sabina de la Cruz, Madrid, Alianza Editorial, 1980.
— *Poesía con nombre*, 3.ª ed., Madrid, Alianza Editorial, 1980.
1981: *Expresión y reunión: A modo de antología*, 2.ª ed. corregida y aumentada, prólogo y notas de Sabina de la Cruz, Madrid, Alianza Editorial, 1981.

— *Que trata de España*, 2.ª ed., Madrid, Visor, 1981.
1982: *En castellano*, texto fijado por Sabina de la Cruz, Barcelona, Lumen, 1982.

b) Algunos estudios sobre la obra de Blas de Otero

ALARCOS LLORACH, E., *La poesía de Blas de Otero*, 2.ª ed., Madrid, Anaya, 1973.

ALIN, J. M.ª, «Blas de Otero y la poesía tradicional», en *Archivium*, XV, 1965, págs. 275-289.

ALONSO, Dámaso, «Poesía arraigada y poesía desarraigada», en *Poetas españoles contemporáneos*, Madrid, Gredos, 1963.

BERLANGA, Alfonso, «La poesía de contenido social. Blas de Otero», en *Introducción a la Literatura española a través de los textos*, tomo IV, Madrid, Istmo, 1979, páginas 177-205.

BOUSOÑO, Carlos, «Un ensayo de estilística explicativa», en *Homenaje universitario a Dámaso Alonso*, Madrid, Gredos, 1970.

— «La poesía de Blas de Otero», en *Ínsula*, 71, 15 de noviembre de 1951, pág. 3.

CANO, J. L., *Poesía española del siglo XX. De Unamuno a Blas de Otero*, Madrid, Guadarrama, 1960.

— Prólogo a *País*, de Blas de Otero, Barcelona, Plaza-Janés, 1971.

CARBALLO PICAZO, A., «Sobre unos versos de Blas de Otero», en *Homenaje universitario a Dámaso Alonso*, Madrid, Gredos, 1970, págs. 253-264.

COHEN, J. M., «Spanish Poetry since the Civil War», en *Since the Civil War* («Encounter», vol. XII, núm. 2, febrero de 1959, págs. 44-53).

COTRAIT, René, «L'évolution idéologique de Blas de Otero», *Les Langues Neo-Latines*, París, 181, julio de 1967, páginas 22-63.

— Introducción a *Expresión y Reunión*, de Blas de Otero, Madrid, Alianza, 1981, págs. 9-48.

COUFFON, C., Prólogo a *Parler claire*, París, Seghers, 1959.

CRUZ, Sabina de la, «Los sonetos de Blas de Otero», en *Alaluz*, núm. 2, 1980, págs. 8-15.

— Introducción a *Historias fingidas y verdaderas*, Madrid, Alianza Editorial, 1980.

— Introducción a *Expresión y reunión*, de Blas de Otero, Madrid, Alianza Editorial, 1981, págs. 9-48.

FAGES GIRONELLA, Xavier, «Blas de Otero: Digo vivir», en *Nuevas técnicas de análisis de textos*, por Benito Varela Jácome, Ángeles Cardona de Gibert y Xavier Fages Gironella, Madrid, Editorial Bruño, 1980, páginas 515-542.

FERNÁNDEZ ALONSO, M. R., «La poesía de Blas de Otero o el sentimiento de la muerte en carne viva», en *Una visión de la Muerte en la lírica española*, Madrid, Gredos, 1971, págs. 348-358.

GABRIEL Y GALÁN, J. A., «Blas de Otero, poeta político», en *Cuadernos para el Diálogo*, núm. 195, 22 de enero de 1977, págs. 48-50.

GALÁN, J., *Blas de Otero, palabras para un pueblo (Tres vías de conocimiento)*, Barcelona, Ámbito Literario, Editor Víctor Pozanco, 1978.

GARCÍA DE LA CONCHA, V., *La poesía española de postguerra*, Madrid, Prensa Española, 1973.

GARRIDO DE GONZÁLEZ, Rosa M.ª, «A propósito de un poema de Blas de González: Lo eterno», en *Si la píldora bien supiera no la doraran por defuera*, año II, núm. 7, Barcelona, julio-septiembre de 1969, págs. 1 y 4-5.

GONZÁLEZ MUELA, J., «Un hombre de nuestro tiempo: Blas de Otero», en *Revista Hispánica Moderna*, Nueva York, XXIX, 1963, págs. 130-139.

GUEREÑA, Jacinto Luis, «La alentadora poesía de Blas de Otero», en *Nueva Estafeta Literaria*, 14, Madrid, 1980, páginas 90-96.

IZQUIERDO ARROYO, J. M., «En torno al silencio de Dios en la poesía de Blas de Otero», en *Estudios*, núm. 94, julio-septiembre de 1971, págs. 428-452.

JIMÉNEZ MARTOS, Luis, «*Mientras. Historias fingidas y verdaderas*. Crítica», en *Reseña de literatura, arte y espectáculos*, núm. 47, julio de 1971, págs. 407-410.

KING, Edmund L., «Blas de Otero: The Past and the Present of The Eternal», *Spanish Writers of 1936*, editado por Jaime Ferrán y Daniel P. Testa, Londres, Tamesis Books, 1973, págs. 312-450.

HISSORGUES, Ivan, «Un aspecto de la poesía española contemporánea. Análisis de tres poemas», *Les Langues Neo-Latines*, 246, París, segundo trimestre de 1983, páginas 137-158.

LUIS, Leopoldo de, «*Expresión y reunión* (1941-1969) de Blas de Otero», en *P.S.A.*, tomo LVI, núm. CLXVIII, marzo de 1970, págs. 313-317.

MACOLA CINGANO, Erminia, «Segni in gabbia (Blas de Otero, *Todos mis sonetos)*», en *Strumenti Critici*, 39-40, Turín, octubre de 1979, págs. 363-384.

— «Saggio di un commento "Biotz-begietan" di Blas de Otero, en *Filologia Moderna*, 2, Pisa, Pacini, 1977, páginas 81-102.

MARCILLY, CHARLES, «*Tañer* (Analyse du poéme)», en *Introduction à l'étude critique*, S. Saillard, C. Marcilly, A. Labertit, E. Cros, París, Lib. A. Colin, 1972, páginas 140-144.

MARTÍN-HERNÁNDEZ, Evelyne, «Un cas de transfusion poetique: César Vallejo, Blas de Otero», *Iris*, núm. 1, Montpellier, 1981, págs. 7-34.

— *Structures et significations de l'espace et du temps dans l'ouvre poetique de Blas de Otero*, tesis presentada en la Univ. Clermont-Ferrand, dirigida por Ch. Marcilly, 1978.

— «Blas de Otero et Machado» (trabajo hecho en la Universidad de Clermont-Ferrand), *Cahiers de poétique et de poésie ibérique et latino-américane*, Université de París, 10 de enero de 1978, págs. 41-47.

MAYORAL, Marina, *Poesía española contemporánea*, análisis de *Canto Primero*, Madrid, Gredos, 1973, páginas 231-242.

MIRÓ, E., «España, tierra y palabra, en la poesía de Blas de Otero», en *Cuadernos Hispanoamericanos*, núm. 356, febrero de 1980, págs. 274-277.

— «La palabra libre y creadora de Blas de Otero», en *Ínsula*, núm. 419, octubre de 1981, págs. 6 y 7.

NÚÑEZ, A., «Encuentro con Blas de Otero», en *Ínsula*, número 259, junio de 1968, págs. 1-4.

RANGEL GUERRA, A., «La poesía de Blas de Otero», en *Humanitas*, año II, núm. 2, Monterrey, agosto de 1960.

RODRÍGUEZ-PUÉRTOLAS, J., «Blas de Otero o la voz de España», en *Norte*, 3 de mayo de 1969, págs. 45-52.

SALVADOR, Gregorio, «Cuarto tiempo de una metáfora»,

en *Homenaje al profesor Alarcos García*, Universidad de Valladolid, 1966, tomo II, págs. 431-442.

SEMPRÚN DONAHUE, M., *Blas de Otero en su poesía*, The University of North Carolina Press, núm. 189, 1977.

SUÑÉN, Luis, «Blas de Otero con los ojos abiertos», en *Reseña de literatura, arte y espectáculos*, 91, Madrid, enero de 1976, pág. 17.

TOVAR, Antonio, «La obra en prosa de un poeta» (sobre *Historias fingidas y verdaderas*), en *Gaceta Ilustrada*, Madrid, 14 de marzo de 1971, pág. 20.

URCELAY, Lucía, «Una quiebra en la poesía religiosa de posguerra. El cántico humano de Blas de Otero», en *Cuadernos de la Cultura*, Vitoria, núm. 2, 1982, páginas 109-129.

VALENTE, J. A., «César Vallejo, desde esta orilla», en *Índice*, núm. 134, febrero de 1960.

VILLA PASTUR, «Blas de Otero: *Pido la paz y la palabra*», en *Pliego Crítico*, núms. 2-3, mayo-diciembre de 1955. Suplemento de *Archivum*, Universidad de Oviedo, Facultad de Letras, págs. 27-29.

VILLAR, Arturo del, «La palabra en guerra por la paz de Blas de Otero», en *La Estafeta Literaria*, núm. 632, Madrid, 15 de marzo de 1978, págs. 8-12.

Estudios-Homenaje con importantes trabajos de especialistas en la poesía oteriana:

Alaluz, núm. 2, año XI; núm. 1, año XII, otoño de 1979, primavera de 1980, Universidad de California, Riverside, California.

Blas de Otero. Study of a Poet, University of Wyoming, Department of Modern and Classical Languages, edited by Carlos Mellizo y Luise Salstad, Laramie, Wyoming, 1980.

Papeles de Son Armadans, núms. CCLIV-V, mayo-junio de 1977, Palma de Mallorca.

Peñalabra, núm. 33, Santander, otoño de 1979.

Colección Letras Hispánicas

Colección Letras Hispánicas

DE PRÓXIMA APARICIÓN